self-help

Vaincre ses peurs

Couverture

- Maquette et illustration:
  MICHEL BÉRARD

Maquette intérieure

MICHEL-GÉRALD BOUTET

DISTRIBUTEURS EXCLUSIFS:

- Pour le Canada:
  AGENCE DE DISTRIBUTION POPULAIRE INC.*
  955, rue Amherst, Montréal   H2L 3K4 (tél.: 514-523-1182)
  Télécopieur: (514) 521-4434
  * Filiale de Sogides Ltée

- Pour la France et l'Afrique:
  INTER FORUM
  13, rue de la Glacière, 75013 Paris (tél.: (1) 43-37-11-80)
  Télécopieur: 43-31-88-15

- Pour la Belgique, le Portugal et les pays de l'Est:
  S. A. VANDER
  Avenue des Volontaires, 321, 1150 Bruxelles
  (tél.: (32-2) 762.98.04)
  Télécopieur: (2) 762-06.62

- Pour la Suisse:
  TRANSAT S.A.
  Route des Jeunes, 19, C.P. 125, 1211 Genève 26
  (tél.: (22) 42.77.40)

Lucien Auger

Vaincre ses peurs

Centre interdisciplinaire de Montréal Inc.

5055, avenue Gatineau Montréal H3V 1E4 (514) 735-6595

Les Éditions de l'Homme*

CANADA: 955, rue Amherst, Montréal H2L 3K4

*Division de Sogides Ltée

Bibliothèque nationale du Québec
Dépôt légal — 1er trimestre 1977

ISBN-0-7759-0521-6

Sommaire

Remerciements

Je tiens à remercier ceux et celles qui m'ont aidé à écrire ce livre. Au premier rang, je place mes consultants et consultantes qui, dans leur détresse et leur souffrance, m'ont fait l'honneur de ne pas me prendre pour un thérapeute mais bien pour un être humain comme eux, dont les confidences m'ont permis de les mieux comprendre et de mieux me comprendre moi-même. Je remercie aussi les participants aux nombreux ateliers que j'ai animés sur le sujet de ce livre depuis les cinq dernières années. Les discussions, souvent très animées, où nous avons tenté de cerner plus étroitement la réalité, ont été pour moi autant d'occasions d'affiner mes réflexions et de pousser plus loin mes recherches.

Mes collègues au Centre interdisciplinaire de Montréal continuent à m'offrir le soutien et l'émulation qui, au long des jours, m'ont permis de préciser et d'affermir ma pensée.

Françoise Breault et Monique Robidas ont collaboré à l'enquête dont il est question au chapitre 22. Francine Ouimet et Gisèle Clément ont bien voulu vérifier l'exactitude d'un certain nombre de références. Comme pour mes ouvrages précédents, mon collègue Jean-Marie Aubry a relu l'ensemble du manuscrit et formulé des observations franches et directes. Liette Bourassa m'a apporté une aide précieuse pour la correction des épreuves. Ma secrétaire, Micheline Rankin, a su, comme d'habitude, m'apporter un concours dont je pourrais difficilement me passer.

Je me suis efforcé de ne pas rire des actions des hommes, ni de les déplorer, ni de les mépriser, mais de les comprendre.

Spinoza.

Introduction

Il y a trois ans, en 1974, je faisais paraître un volume intitulé: *S'aider soi-même - une psychothérapie par la raison*. Dans ce volume, je présentais aux lecteurs francophones l'approche dite *émotivo-rationnelle,* telle qu'élaborée par le psychologue américain Albert Ellis, qui s'inspirait lui-même de certains penseurs de l'Antiquité.

L'approche émotivo-rationnelle se base sur la constatation que la source des émotions humaines se trouve, dans la grande majorité des cas, dans la pensée et les croyances de chacun. Cette constatation permet à Ellis, comme déjà elle le permettait à Epicure, à Epictète, à Sénèque et à Marc-Aurèle, de dégager les principes d'une thérapeutique des émotions qui se base sur un assainissement des contenus cognitifs — des croyances — de l'individu.

En un mot, la théorie énonce très simplement que si l'on veut modifier les émotions, c'est à la pensée et à la croyance qu'il importe de remonter puisque c'est de ces dernières que l'émotion origine.

La question ne manque pas d'intérêt pratique, puisqu'il ne semble pas exagéré d'affirmer que ce sont nos états émotifs qui constituent pour chacun de nous ce que nous appelons le bonheur ou le malheur. Le bonheur, n'est-ce pas se *sentir* et *être* joyeux, paisible, créateur, aimant et, d'autre part, le malheur ne s'identifie-t-il pas à l'anxiété, la fureur, la haine de soi et des autres?

S'aider soi-même présentait donc une réflexion générale sur les émotions et proposait une méthode simple et directe de minimiser l'intensité et la fréquence des émotions désagréables et d'augmenter l'intensité et la fréquence des émotions agréables.

Le propos du présent volume est plus spécifique. Je veux y étudier avec vous un type précis d'émotion: l'anxiété. Je veux avec vous tenter d'en démonter les rouages, de comprendre ce qui la provoque, d'étudier comment elle se développe, de considérer ses conséquences dans votre vie comme dans la mienne et de proposer des moyens pratiques d'en diminuer les ravages.

Il n'est pas nécessaire d'être psychothérapeute pour constater combien l'anxiété est un phénomène universel, qui affecte chacun de nous. Mon travail, cependant, me permet de nouer avec ceux et celles que je rencontre des contacts souvent très intimes et donc de constater de façon peut-être encore plus éclatante combien l'anxiété est présente dans nos vies et quels dommages elle y cause. Je puis affirmer sans grand risque d'erreur que ne n'ai jamais rencontré un être humain, en thérapie ou non, qui n'ait éprouvé quelque degré d'anxiété, qui n'ait été habité de quelque peur plus ou moins précise. L'ampleur du phénomène en a amené certains à prétendre que l'anxiété fait partie de la "nature" humaine et qu'elle est indissociable du fait d'exister. Je ne veux pas ici m'aventurer dans une discussion philosophique: il me suffit de constater qu'il existe des êtres humains qui sont *moins* anxieux que d'autres pour émettre au moins l'hypothèse qu'il est peut-être possible de modifier cette réaction émotive, de limiter les dégâts qu'elle cause, si l'on parvient à en identifier la source.

Le plan de cet ouvrage sera donc le suivant. Dans un premier temps, je veux examiner avec vous les traits généraux de l'anxiété et de la peur et considérer les relations qui s'établissent entre elles et d'autres émotions comme l'hostilité et la culpabilité.

Dans un second temps, je veux vous présenter les grandes lignes d'une thérapeutique des craintes, les éléments de base d'une méthode destinée à permettre à quelqu'un de se défaire de ses craintes, au moins partiellement.

Une troisième partie, beaucoup plus détaillée, présentera, en une série de courts chapitres, des réflexions sur un certain nombre de peurs spécifiques. Pour vous permettre de saisir plus facilement les éléments constitutifs de chacune de ces peurs, j'utiliserai une présentation concrète et personnalisée; chaque chapitre portera un prénom comme titre et s'attachera à étudier les traits d'une peur spécifique telle que vécue par une personne en particulier. Il va sans dire qu'il s'agira bien de personnes réelles, mais dont j'aurai pris soin de modifier suffisamment l'histoire pour que personne ne parvienne à les identifier. En utilisant des noms commençant successivement par chacune des lettres de l'alphabet, j'ai voulu symboliser l'universalité du phénomène de l'anxiété plutôt que prétendre présenter une liste définitive et exhaustive des peurs de l'humanité. Elles sont en effet si nombreuses et leurs objets sont si variés que bien des volumes ne suffiraient pas à en contenir les descriptions.

Un mot plus personnel à vous, qui allez peut-être lire ce livre. Il y a bien des raisons qui amènent à lire un livre; on peut le lire pour se délasser, pour s'informer, pour se cultiver, pour faire plaisir à celui qui nous l'a offert ou même pour pouvoir déclarer qu'on l'a lu, si on pense ainsi recueillir l'approbation d'autres personnes. Quelle que soit votre motivation actuelle, je souhaite qu'à sa lecture, vous en arriviez non seulement à *comprendre* comment il se fait que vous soyez anxieux, troublé ou effrayé, mais qu'aussi vous en arriviez à passer à l'offensive et à combattre vos craintes par la pensée et l'action. Je n'ai pas de réticences à comparer ce livre à un recueil de recettes culinaires. Tout le monde sait qu'il ne suffit pas de lire, fut-ce avec attention, la recette du veau Marengo pour que, par enchantement, le plat se réalise tout seul. Il faut encore, en plus de *comprendre* comment se fait le veau Marengo, *rassembler* les ingrédients de la recette et les *combiner* de telle sorte qu'elle se réalise. Comme cela serait intéressant s'il suffisait de comprendre comment naît et se développe l'anxiété pour s'en trouver automatiquement délivré! Mais il n'en est pas ainsi dans la réalité; pour la cuisine comme pour les émotions, il est indispensable de se mettre à la tâche et d'effectuer les démarches physiques ou mentales qui amènent la réalisation d'un nouvel état de la matière ou de l'esprit. Si vous voulez vous débarrasser ou du moins diminuer vos craintes, vous ne pouvez pas vous arrêter à la seule compréhension intellectuelle, quoique cette dernière soit d'une grande utilité pour diriger ensuite votre action et vous permettre d'économiser vos efforts. C'est par l'action, à la fois mentale et physique que vous avez le plus de chance d'atteindre votre objectif.

Je suis frappé de constater, chez les gens que je rencontre, combien il en est peu qui soient vraiment intéressés à être heureux. Sans doute professent-ils de leur désir d'être mieux, d'être délivrés de leur anxiété et de mener des vies plus détendues, heureuses et épanouies. Mais quand arrive le moment de cesser de *parler* d'être heureux, quand arrive le moment de cesser de *rêver* au bonheur et de se mettre à la tâche pour l'atteindre, que de résistances, que de protestations d'impuissance, que de manoeuvres dilatoires, que d'atermoiements! Tout se passe comme si beaucoup d'entre nous concevions le bonheur comme une espèce de hasard dont la réalisation ne dépend pas de nous. Nous *attendons* le bonheur, en pestant contre la malchance ou d'autres forces occultes qui, selon nous, s'opposent à notre bienêtre. Nous sommes les victimes innocentes de notre éducation, de nos parents, de notre société, de la conjoncture économique, de la malveillance des dieux (ou de Dieu), quand ce n'est pas de la coïncidence infortunée des astres qui ont présidé à notre naissance. Ces croyances idiotes sans fondement se trouvent malheureusement renforcées par le fait qu'elles sont proposées avec acharnement par tous les média d'information qui bombardent sans arrêt nos esprits et également par le fait que les événements externes jouent un rôle *réel* quoique non déterminant dans la production du malheur ou du bonheur dans nos vies.

La passivité de beaucoup de personnes face aux actes mentaux et physiques qui pourraient leur permettre d'atteindre une plus grande part de bonheur trouve aussi un appui dans un certain snobisme de l'anxiété. Pour certaines personnes, c'est presque une marque de noblesse d'être désespérées et anxieuses, et celui qui affirme l'être rarement passe facilement à leurs yeux pour un être superficiel, un benêt qui ne comprend pas le tragique de l'existence, un sot auquel les vrais problèmes échappent et qui se complaît béatement dans une bienheureuse ignorance. Même s'il en était ainsi, ce dont je ne crois rien et que je m'apprête à démasquer comme un préjugé indémontrable, j'affirme sans hésitation que je préfère vivre dans le bonheur, fut-il celui d'un sot, que de savourer noblement l'anxiété et la peur de l'esprit éclairé. Fort heureusement, comme je pense pouvoir le montrer, il est tout à fait possible de concilier lucidité et absence d'anxiété, et c'est plutôt celui que ronge l'anxiété qui saisit imparfaitement ou déforme la réalité. On lira avec intérêt les réflexions de Louis Pauwels sur ce sujet (*Lettre ouverte aux gens heureux*).

Chapitre I
Les sources de l'anxiété

L'origine des émotions

Avant de nous engager à la recherche des sources spécifiques de l'anxiété, attardons-nous à retracer quelque peu l'origine de nos émotions en général. J'ai déjà exposé plus longuement ce qui va suivre dans *S'aider soi-même* auquel je vous réfère pour plus de détails. Ce qui suit ne constitue qu'un rappel.

Il est hors de doute que la plupart de nos émotions, sinon toutes, trouvent leur origine dans les pensées que nous nourrissons dans notre esprit, dans les interprétations que nous nous formulons des événements et des personnes qui jalonnent notre existence. J'utilise souvent l'exemple du métro avec mes consultants pour leur permettre de saisir ce point capital.

Supposons que vous soyez amené à utiliser le métro à une heure de pointe. Vous parvenez, porté par la foule, à vous introduire dans une voiture où, bien sûr, tous les sièges sont déjà occupés. Vous voilà agrippant la barre, prenant votre mal en patience. Le train démarre et vous devez vous accrocher solidement pour ne pas vous effondrer sur le chapeau de la dame assise devant vous . A ce momentpprécis, vous recevez dans le dos une violente poussée qui, si vous n'étiez entraîné depuis des années à rétablir votre équilibre, aurait provoqué votre chute et l'écrasement lamentable du couvre-chef de votre voisine. Dans quel *état émotif* pensez-vous que vous vous sentiriez à ce moment-là, tout de suite après avoir subi cette bousculade? La plupart des gens auxquels je pose cette question déclarent qu'ils seraient furieux, agressifs, hostiles envers la personne qui les a poussés. Je leur demande alors, comme je vous le demande: "Quelle est la cause de votre état émotif de colère, de fureur, d'hostilité?" Peut-être répondrez-vous comme eux que la cause de leur fureur est la *poussée* qu'ils ont reçue.

Mais continuons notre histoire. Rouge de colère, vous vous retournez pour adresser des paroles cinglantes à cet importun, ce goujat, ce maladroit...Mais, surprise, vous constatez que la personne qui vous a poussé porte des lunettes opaques et s'appuie sur une canne blanche. C'est un aveugle. Qu'arrive-t-il alors à votre colère et à votre indignation? "Elle disparaît et se change en compassion, en pitié pour ce pauvre diable contraint de vivre dans un monde obscur et dont le geste est évidemment dû à une maladresse bien compréhensible", répondent la plupart de mes interlocuteurs.

Mais alors, comment se fait-il que votre colère, que vous affirmiez à l'instant avoir été *causée* par la poussée, disparaisse complètement alors que cette poussée, elle, demeure? Comment l'effet peut-il demeurer alors que la cause est disparue? Après tout, quand vous appuyez sur l'interrupteur et que la lampe ne s'éteint pas, n'en concluez-vous pas qu'elle est branchée sur un circuit autre que celui que commande cet interrupteur? Il faut donc conclure que ce *n'est pas* la poussée qui est la *cause* de votre colère, mais que ce doit être autre chose qui s'est passé en coïncidence avec cette poussée, à l'occasion de cette poussée. "En effet, répondrez-vous peut-être, mais alors, quelle est la cause de ma colère, si ce n'est pas la poussée?"

Pour répondre à cette question, examinez ce qui s'est passé dans votre *esprit* tout de suite après que vous ayez reçu la poussée. Quelle pensée est apparue dans votre esprit, qu'est-ce que vous vous êtes *dit*? Ne vous êtes-vous pas dit des choses comme: "Quelle brute!...Quel butor!...Ah! le fils de p...!?" "En effet, répondrez-vous sans doute, ou quelque chose de similaire" (chacun possédant un choix d'expressions personnelles pour verbaliser ses évaluations et ses interprétations des choses et des gens.) Mais quand vous avez constaté qu'il s'agissait d'un aveugle, qu'est-ce que vous vous êtes dit? "Eh bien! des choses comme: c'est bien dommage...il n'a pas fait exprès...pauvre diable..."

Constatez-vous combien vos interprétations ont changé considérablement d'une partie de l'épisode à l'autre? Constatez-vous également que vos émotions ont changé aussi considérablement à la suite de ces interprétations différentes? Ne serait-il pas raisonnable de conclure que ce n'est *pas* la poussée qui a causé votre colère, mais que ce sont presque entièrement les phrases qu'avec la rapidité de la pensée, vous avez introduites dans votre esprit à l'occasion de cette poussée?

"D'accord, direz-vous, mais il reste que si la cause de ma colère réside dans mes pensées à la suite de la poussée, cette poussée doit jouer un rôle dans la production de mes émotions puisque, si je n'avais pas été poussé, je n'aurais probablement pas ressenti cette émotion."

"Très juste, répondrai-je, la poussée joue le rôle *d'occasion* dans la production de votre émotion." Il est vital de ne pas confondre *occasion* et *cause,* encore que la distinction entre les deux soit souvent difficile à établir. Un autre exemple vous aidera peut-être à saisir cette distinction.

Vous êtes sur le rivage d'un lac et vous observez un homme debout dans une embarcation au large. Soudain, cet homme tombe à l'eau et se noie. Quelle est la cause de sa noyade? Si vous répondez que c'est sa chute dans l'eau, ou l'eau elle-même, il est certain que vous vous trompez. S'il en était ainsi, il faudrait conclure que toute personne qui tombe à l'eau se noie obligatoirement alors que cela n'est vrai, toutes choses étant égales par ailleurs, que des gens qui ne savent pas nager. La véritable *cause* de la noyade de notre homme est donc son ignorance de la nage et l'eau ne joue ici que le rôle *d'occasion.*

Bien sûr, l'effet (la noyade) ne peut se produire que quand la *cause* et *l'occasion* se trouvent réunies. Le non-nageur n'est vulnérable que dans l'eau; sur la terre ferme, il est impossible de se noyer. Il reste cependant exact de dire que si ce non-nageur n'était pas tombé à l'eau, il ne se serait pas noyé, tout comme il est légitime d'affirmer que si vous n'aviez pas été poussé dans le métro, vous ne vous seriez pas mis en colère. Il n'en demeure pas moins que l'eau comme la poussée ne sont que des *occasions,* et que les véritables *causes* de la noyade et de la colère résident respectivement dans l'ignorance de la nage et dans les *idées* occupant votre esprit.

"Peut-être, direz-vous, mais ne pourrait-on pas dire que si les idées causent les émotions, les événements *causent* les idées selon le schéma suivant?"

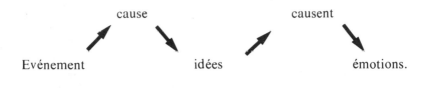

Evénement cause idées causent émotions.

Si vous avez raison, il faudrait conclure que les mêmes événements produisent les mêmes idées chez la même personne ou chez des personnes différentes, ce qui n'est pas le cas. Pensez aux réactions émotives différentes chez des personnes témoins du même événement. Votre femme, votre fils et vous regardez le même film à la télévision. Alors que l'héroïne est sur le point d'être sciée en deux dans le laboratoire de l'affreux Docteur Mabuse, votre femme pousse de petits cris d'effroi, vous êtes plein de colère contre ce sadique, et votre fils de dix ans s'intéresse vivement au diamètre de la scie. Même événement et pourtant, trois réactions émotives différentes et donc, trois perceptions différentes de l'unique événement. J'en concluerai donc que chacun des participants à cette expérience produit lui-même ses propres perceptions et ses propres idées, à partir de ce qu'il est lui-même, de ses intérêts, de ses préjugés, de ses habitudes, de ses perceptions antérieures et que la scène de cinéma ne sert que de déclencheur.

Si nous appliquons cette théorie générale de la source des émotions à une émotion spécifique comme l'anxiété ou la peur, nous pourrons déjà conclure *que ce ne sont pas les choses ou les gens qui sont la cause de notre anxiété, mais bien les interprétations que nous nous formulons à nous-mêmes de ces choses et de ces gens, les phrases intérieures que nous nous disons à nous-mêmes à l'occasion des divers événements de notre vie.*

La source de l'anxiété

S'il en est ainsi, que peut bien se dire quelqu'un qui a peur? Et quelqu'un qui éprouve de l'anxiété? Des choses en partie semblables et en partie différentes, ce qui explique que les deux effets émotifs soient distinguables, quoique l'on emploie souvent indifféremment un terme ou l'autre pour désigner les deux émotions.

Prenons un cas concret qui permettra de distinguer l'une de l'autre. Voici Mme Lapointe, qui a peur et Mme Laplante, qui est anxieuse. Pour l'une comme pour l'autre, *l'occasion* de leur émotion est la même: la conduite de la voiture familiale.

Quand elle pense à conduire cette voiture, Mme Lapointe se dit des choses comme celles-ci: "Conduire une voiture comporte des risques: je peux être impliquée dans des accidents, au point même d'en perdre la vie ou d'être sérieusement blessée. Je peux aussi causer de graves dommages à d'autres personnes. En conséquence, je fais mieux d'être prudente et attentive, de boucler ma ceinture, de ne pas faire d'excès de vitesse et de respecter le code de la route tout en gardant l'oeil ouvert pour me protéger contre d'éventuels chauffards. Cependant, tout cela, je *suis capable* de le faire. Il n'y a pas de raison objective pour que je ne puisse pas conduire convenablement une voiture."

On observera ici que la réaction émotive de Mme Lapointe est une réaction de peur, face à la perception exacte de dangers *réels;* cette peur n'est en aucune manière nocive; tout au contraire, elle amène Mme Lapointe à poser les gestes qui conviennent et à s'engager dans des actions appropriées. Si Mme Lapointe ne ressentait aucune peur, il faudrait s'attendre à ce qu'elle commette de nombreuses imprudences susceptibles de lui causer beaucoup d'inconvénients. La peur est donc une réaction émotive utile pour chacun; c'est elle qui, en bonne partie, explique notre survie. En effet, il semble hors de doute que vous ne seriez pas en train de lire ce livre si de toute votre vie vous n'aviez éprouvé la peur. Comme la douleur physique est un indice que quelque chose ne tourne pas rond dans notre organisme et qu'il est temps d'y voir, ainsi la peur nous amène à poser des gestes salutaires; celui qui n'éprouve pas de peur avant de plonger dans un lac inconnu du haut d'un rocher risque fort de se casser la figure. La peur l'amènera à sonder prudemment avant de s'élancer et à vérifier ainsi s'il ne se cache pas quelque rocher sous la surface de l'eau. La peur de tomber amène l'alpiniste à s'équiper de cordes et de crampons, comme la peur de manquer du nécessaire amène un salarié à faire des économies et à acheter des assurances.

L'anxiété diffère de la peur en ce sens que la personne qui l'éprouve rajoute à ce que nous avons dit plus haut une description d'elle-même comme *incompétente* et *incapable* de faire face de façon constructive à un danger réel. C'est le cas de Mme Laplante, à l'occasion du même événement que constitue la conduite de l'automobile. Non seulement se dit-elle qu'il y a là un danger réel, et qu'elle serait mieux d'être prudente, mais elle rajoute à peu près ceci: "Sotte et distraite comme je suis, je vais sûrement avoir des accidents terribles. Je suis *incapable* de bien faire les choses au volant et je ne serai *jamais* capable de conduire comme il faut. Comme je suis fondamentalement une personne inepte et incompétente, il est inévitable que, si je persiste à conduire la voiture, des catastrophes se produisent tôt ou tard".

Il est clair que Mme Laplante ajoute un nouvel élément à ce que se dit Mme Lapointe: sa définition d'elle-même non seulement comme *actuellement* incompétente (ce qui peut être exact) mais encore comme *fondamentalement* incompétente, comme *naturellement* incapable de se perfectionner et d'apprendre, comme destinée *irrémédiablement* à être un piètre conducteur. Cette notion est évidemment invérifiable, et constitue un préjugé indémontrable. Il s'agit d'une affirmation gratuite, sans bases expérimentales, dont la démonstration est rigoureusement impossible. Quelque incroyable que cela puisse sembler, j'ai déjà entendu une participante à un groupe de thérapie affirmer avec une conviction inébranlable que, si elle avait un autre accident de voiture (elle en avait eu trois peu de temps auparavant), elle aurait la *preuve* qu'elle n'était pas faite pour conduire une voiture. Un moment de réflexion suffira à faire apparaître que ses trois accidents de voiture démontraient peut-être qu'elle était *à ce moment* peu compétente pour conduire une voiture, mais qu'ils ne sauraient démontrer d'aucune façon qu'elle ne parviendrait *jamais* à maîtriser cet art. Il s'agit là d'un exemple typique d'une de ces fameuses "prophéties" dont l'accomplissement est amené par elles-mêmes.

Les prophéties auto-accomplissantes

Ce phénomène mérite qu'on s'y arrête quelque peu, il nous permettra de commencer à explorer les effets de l'anxiété.

Comme nous venons de le voir, la personne anxieuse s'affirme souvent à elle-même que non seulement elle est incapable de faire face au danger (réel ou fictif), mais qu'elle ne pourra *jamais* y faire face convenablement. Cette *pensée* entraîne la présence d'une anxiété plus ou moins prononcée selon la magnitude du danger envisagé et son imminence d'une part, la fermeté et la clarté de la prédiction de la personne d'autre part.

L'anxiété, à son tour, provoque, comme toutes les émotions, un ensemble de réactions physiques et mentales bien connues: palpitations cardiaques, bouffées de chaleur, sueur, modification du rythme respiratoire et, au plan mental, confusion de la pensée, obsession des idées, diminution générale de la capacité de réfléchir lucidement et de façon réaliste.

L'ensemble de ces phénomènes physiques et mentaux influence à son tour le comportement concret extérieur de la personne subissant l'anxiété. Les réflexes physiques sont affectés, les gestes peuvent devenir brusques ou, au contraire, ralentir jusqu'à la stupeur. Il est clair que la réalisation de l'action devient alors plus difficile, que les risques d'erreur augmentent et que, par la suite, les dangers que redoute la personne et à propos desquels elle se sent anxieuse ont plus de chance de se réaliser dans le concret. Ainsi, si Mme Laplante se parle comme je l'ai décrit plus haut, son anxiété peut fort bien entraîner chez elle des gestes maladroits au volant de sa voiture et provoquer les accidents qu'elle redoute tant. Il est tout à fait possible alors que Mme Laplante, à la suite d'un nouvel accident, se serve de cette circonstance pour s'affirmer avec encore plus de conviction à elle-même qu'elle sera toujours inapte à conduire la voiture, et ainsi de suite. Nous sommes alors en présence d'un cercle vicieux parfait: les idées causent l'anxiété - l'anxiété amène les comportements non appropriés - ces comportements causent les accidents - les accidents sont l'occasion de nouvelles pensées du même type que les premières, et l'on tourne.

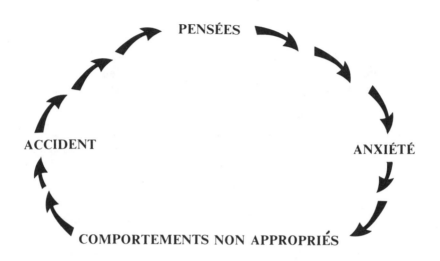

PENSÉES

ACCIDENT

ANXIÉTÉ

COMPORTEMENTS NON APPROPRIÉS

On voit tout de suite que l'anxiété, loin d'avoir les effets préventifs et prophylactiques de la peur, amène au contraire des réactions en chaîne dont l'effet global est nocif à la personne.

L'étiquetage ou "labelling"

Comme on peut le constater, la démarche mentale de Mme Laplante consiste à se décerner à elle-même un diplôme d'incompétence fondamentale comme conducteur au volant. Elle commet ainsi une erreur logique dont les conséquences peuvent être graves. Cette erreur logique consiste à inférer la présence d'une caractéristique stable à partir de la constatation d'un certain nombre d'événements. C'est une démarche à laquelle la plupart des gens se livrent avec une ardeur troublante! Songez au nombre de fois, probablement incalculable, où vous avez proféré des phrases comme celles-ci: *"C'est* un incapable", "Jean-Pierre *n'est* pas bon en mathématiques", *"C'est* un homosexuel","Le mari d'Alice *est* une brute", "Je *suis* un imbécile", "Arthur *est* un criminel". Le nombre de ces phrases est infini et je gage que vous vous livrez à ce petit jeu des dizaines de fois par jour, à propos de vous-même ou des autres. Chacune des phrases, comme vous pouvez le constater, affirme la présence d'une caractéristique stable chez la personne, d'un "trait de personnalité" relativement immuable; toutes ces phrases font un emploi du verbe *être*, décrètent que telle personne non seulement *agit* de telle manière, pose tel geste, mais encore *est constituée* de telle sorte que son agir découle de caractéristiques de son être.

Un tel emploi de verbe "être" semble évidemment abusif. En toute rigueur de termes, tout ce que vous savez de ces personnes et de vous-même, c'est qu'elles agissent de telle ou telle manière, que Hector n'a pas encore réussi à jouer au golf sans envoyer dix fois sa balle dans le décor, et non pas qu'il est incapable de faire mieux un jour. Vous pouvez *savoir* que Jean-Pierre rate un problème de mathématiques sur deux, mais vous ne pouvez qu'*imaginer* qu'il n'est pas apte à faire des mathématiques. Vous pouvez constater que Gilles couche avec des hommes plutôt qu'avec des femmes et qu'il déclare préférer ce mode de sexualité à tout autre, mais si vous affirmez qu'en conséquence, il *est* homosexuel, ce ne peut être que par *définition*, et comme tout le monde le sait, une définition ne *prouve* rien. Le mari d'Alice bat peut-être sa femme avec la régularité d'un métronome, mais affirmer qu'il est une brute présuppose qu'il ne pourra jamais faire autre chose que cela, tout comme une vache ne saura jamais donner autre chose que du lait et jamais de whisky. Si vous vous qualifiez souvent d'imbécile, non seulement réussirez-vous à vous déprimer, mais à chaque fois que vous procéderez à cette affirmation, vous énoncerez une généralisation abusive, contredite par un examen même superficiel des faits. Comme un sot ne saurait faire que des sottises, comme un criminel ne saurait faire que des crimes, comme une mauvaise mère de famille ne saurait que poser des gestes de mauvaise mère de famille, il s'ensuit qu'il suffit que ces personnes ainsi étiquetées aient posé *une seule fois* dans leur vie un acte qui ne soit ni sot, ni criminel, ni dénaturé pour que se révèle l'impropriété de ces descriptions.

S'il ne s'agissait que d'une question de mots, comme le prétendent souvent mes consultants, il n'y aurait probablement pas de quoi fouetter un chat. Mais il en est tout autrement; les étiquettes dont nous nous gratifions, surtout si elles sont négatives, mais même si elles sont positives, constituent une source importante d'anxiété.

Constatez vous-même quelle anxiété vous ressentiriez si, après vous être *défini* comme sot, homosexuel, incapable d'élever convenablement un enfant ou de conduire une voiture, vous vous trouvez confronté à la possibilité réelle de subir un examen, de coucher avec une fille, de procréer ou de prendre le volant. A la suite de Jean-Paul Sartre (*L'existentialisme est un humanisme*), le sociologue Edward Sagarin a éloquemment développé ce point (*Psychology today).*

Anxiété et hostilité

Avez-vous déjà constaté comme il est fréquent que des personnes qui éprouvent beaucoup d'anxiété soient également hostiles envers les membres de leur entourage? Cela se comprend assez facilement si on réfléchit à la manière dont ces personnes pensent. La plupart d'entre elles ne se rendent pas compte qu'elles créent leur propre anxiété par la manière dont elles pensent, et plus spécifiquement par les descriptions et les étiquettes dont elles se gratifient à l'occasion de tel ou tel événement. Elles sont au contraire portées à attribuer la cause de leur anxiété aux gestes, aux comportements, aux idées, aux opinions d'autres personnes. Pour elles, les responsables de leur anxiété, ce sont les autres. Comme l'anxiété est un sentiment fort pénible à éprouver, il s'ensuit que ces personnes deviennent hostiles envers ceux qu'elles identifient erronément comme la cause de leur malheur. J'entends tous les jours des consultants répéter: "Ma femme me rend anxieux...", "Mon mari me rend inquiète quand il ne revient pas à temps", "Si je suis anxieux, c'est parce que mon fils ne fait que des bêtises...", "Je n'arrive pas à dormir parce que ma belle-mère va encore critiquer notre manière de vivre..."

Ceux qui disent de telles phrases (intérieurement ou extérieurement) éprouvent aussi régulièrement de l'hostilité envers les personnes auxquelles elles attribuent leur trouble émotif. Vous marchez dans la rue et vous recevez un coup de bâton sur la tête; vous vous retournez pour constater que, des trois personnes qui vous suivent, une seule a un bâton à la main. C'est envers *cette* personne que vous éprouverez de l'hostilité, puisque vous l'identifierez comme responsable du coup de bâton.

"Mais alors, direz-vous, si cela est exact, ne vais-je pas me sentir immanquablement hostile envers *moi-même* puisque je constaterai, quand je serai anxieux, que je suis moi-même responsable de ma propre anxiété? Et alors, qu'aurai-je gagné au change? Autant être hostile envers les autres qu'envers soi-même!"

— Il n'est pas inévitable que vous éprouviez de l'hostilité envers vous-même ou les autres, même si vous constatez que ce sont vos *idées* qui causent votre anxiété, à la condition que vous distinguiez soigneusement vos *idées* de *vous-même*.

— Mais vous jouez sur les mots. Mes idées et moi, c'est la même chose...

— Sûrement pas. Vous êtes en train d'affirmer que, parce que vous avez une ou des idées idiotes dans la tête, vous *êtes* idiot, ce qui ne saurait être vrai à la rigueur que si vous n'avez actuellement que des idées idiotes dans la tête et si vous n'avez eu dans le passé et n'aurez dans le futur *que* de telles pensées dans la tête.

— Mais ne peut-on pas appeler idiot celui qui plus souvent qu'autrement a des pensées idiotes dans la tête?

— Uniquement par *définition* et de façon *arbitraire*. Quand *déciderez-vous* que vous êtes idiot? Quand la proportion de vos idées idiotes atteindra 40%?, 60%?, 80%? Ne constatez-vous pas que cette décision ne saurait être qu'arbitraire, sans fondement démontrable, qu'elle constituerait une affirmation gratuite sans base constatable dans la réalité? Vous êtes en train de vous étiqueter vous-même comme idiot parce que vous constatez la présence en vous d'un certain nombre d'idées idiotes. *Or, il n'est absolument pas nécessaire d'être idiot pour produire des idées idiotes:* il suffit d'être un être humain, doué de la capacité de penser. Il n'est pas nécessaire de détenir de diplôme de sottise pour faire des choses sottes et penser des bêtises! Vous ne serez jamais qu'un être humain imparfait, c'est-à-dire possédant une capacité *relative* de poser les gestes qui conviennent, de produire des pensées conformes au réel et doté, en contre-partie, de la capacité *relative* d'agir sottement et de penser de travers.

Anxiété et culpabilité

Comme vous pouvez le constater, anxiété et culpabilité sont de la même famille. Qu'est-ce que la culpabilité finalement, si ce n'est une forme particulière d'hostilité dirigée vers soi-même? Celui qui est hostile envers les autres les définit abusivement comme des êtres méchants, mauvais, *qui n'auraient pas dû* poser tel ou tel geste, alors que celui qui éprouve de la culpabilité se définit lui-même ainsi. Dans un cas comme dans l'autre, ces définitions sont arbitraires. Rien en effet ne démontre que Jean-Pierre *est* méchant parce qu'il ne fait pas ce qui me plairait ni que, parce que je voudrais qu'il agisse autrement, cela constitue pour lui une *obligation* à faire en sorte que je sois satisfait. Il est également abusif de penser que, même s'il aurait mieux valu que je pense ou agisse autrement que je l'ai fait, j'aurais *dû* le faire. Il n'existe pas plus pour moi que pour les autres d'*obligation* à agir de façon appropriée, quoique cela soit évidemment préférable. Si j'agis de façon contraire à mes propres intérêts, il serait convenable que je ressente du regret d'avoir agi de la sorte et que je prenne les mesures pour modifier mon comportement dans l'avenir. Mais *regret* et *culpabilité* sont des sentiments bien différents et, à tout prendre, je préfère ressentir le premier que le second, surtout si je constate que *toute* culpabilité est superflue et découle de pensées qui n'ont rien à voir avec la réalité.

"Mais où irions-nous si toute culpabilité était surperflue? Cela reviendrait à dire que tout est permis et que rien n'est interdit. Dans quel monde vivrions-nous alors?" objectent beaucoup de mes interlocuteurs, non loin de me considérer comme un être amoral, prêt à justifier le meurtre, le viol et toutes les horreurs que l'homme a pu inventer pour se gâter l'existence.

Je ne sais pas dans quel monde nous vivrions si on abolissait toute interdiction et toute autorisation. Je n'ai pas d'espoir d'ailleurs de survivre assez longtemps pour connaître un tel monde. Je sais toutefois que le système du permis et de l'interdit a été expérimenté par l'humanité depuis des millénaires et vous êtes comme moi en mesure de constater que les résultats ne sont pas exactement réjouissants. Moralistes et législateurs s'époumonnent depuis l'aube de la civilisation à défendre le mal et à recommander le bien, sans résultats notables si ce n'est au niveau des techniques employées. Nous sommes maintenant techniquement capables de détruire des êtres à distance et en grands groupes, ce qui présente un sérieux progrès sur les techniques primitives utilisant le casse-tête, la lance, la flèche ou l'arquebuse.

Il me semble, de toute façon, que permettre ou interdire les choses ne fait pas beaucoup de différence. Je pense qu'il vaudrait mieux remplacer ces notions métaphysiques (c'est-à-dire indémontrables) par la constatation plus élémentaire que certains gestes sont avantageux et opportuns, alors que d'autres sont stupides, destructeurs et nuisibles à l'intérêt véritable de celui qui les pose.

Je peux bien me dire avec vérité que je suis tout à fait autorisé à botter le derrière du policier en faction au coin de la rue, mais qu'il est maladroit pour moi de poser un tel geste à moins que je n'affectionne particulièrement le régime des institutions de Sa Majesté. J'ai bien le droit de dire des bêtises à ma femme et de la houspiller sans arrêt, mais si je veux vivre heureux et tranquille avec elle, il est peu probable que de telles procédures amènent les résultats que je souhaite. Un père a bien le droit de semoncer et battre ses enfants, mais qu'il ne s'attende pas ensuite à recevoir d'eux une affection sans mélange.

Je préférerais donc que vous remplaciez votre notion du permis et du défendu par une notion plus réaliste de l'opportun et de l'inopportun. Je crois, pour l'avoir constaté dans ma propre vie et dans celle de beaucoup d'autres personnes, que ces idées, qui m'apparaissent vérifiables et réalistes, seraient de nature à faire disparaître la plus grande partie de l'hostilité et de la culpabilité.

Chapitre II
Comment combattre l'anxiété
et s'en défaire

Maintenant que j'ai exploré avec vous les sources de l'anxiété et que je pense être arrivé à vous démontrer qu'elles se trouvent dans un type particulier de *pensée* et de *croyance*, je vous engage à examiner des moyens pratiques et efficaces pour la combattre et la faire disparaître au moins en partie. Comme j'ai situé la source de l'anxiété dans la pensée, vous vous attendrez certainement à ce que la thérapeutique que je vais vous proposer se situe au même niveau.

Commençons par émettre quelques commentaires sur certains moyens très populaires de combattre l'anxiété, moyens qui cependant, à mon avis, ne sont que transitoirement efficaces, surtout parce qu'ils s'attaquent aux *effets* de l'anxiété plutôt qu'à sa *cause*.

La **fuite** est probablement le moyen le plus utilisé. Devant le danger réel ou imaginaire, la personne s'enfuit ou tente d'éviter de quelque manière la personne ou la chose à l'occasion de laquelle elle se crée à elle-même de l'anxiété.

Le moyen n'est pas entièrement condamnable et il est même le plus efficace pour certaines catégories de dangers, surtout dans le domaine physique. Cependant, l'exagération de son emploi est à la longue nuisible, surtout si le "danger" se présente fréquemment. Si je fais un voyage occasionnel en Terre de Baffin et que je suis confronté à un ours polaire agressif, il vaut mieux fuir que philosopher. La situation est différente si j'*habite* la Terre de Baffin et que la rencontre de ces ours est un événement courant. On voit tout de suite qu'il ne sera pas pratique d'utiliser la fuite comme moyen de faire disparaître l'anxiété quand celle-ci se manifeste à l'occasion d'événements fréquents. Si je ressens de l'anxiété devant mon patron, mon épouse, mes enfants, la fuite risque de me causer de sérieux problèmes, de m'amener à poser des gestes que je regretterai ensuite. Parfois, d'ailleurs, la fuite est impossible: comment échapper à l'opinion des autres, comment fuir tout contact interpersonnel, comment échapper continuellement à la mort?

On peut aussi ajouter que la fuite augmente parfois la peur, parce qu'elle ne permet pas au fuyard de constater que l'objet de sa crainte est inoffensif ou moins dangereux qu'il ne se l'imaginait. Si je m'enfuis devant le chien qui me confronte brusquement au détour d'une rue, il se peut fort bien que dans ma fuite je l'imagine me talonnant, prêt à s'élancer à l'assaut de mes mollets, alors que l'animal a depuis longtemps reporté son attention sur les poubelles qu'il explorait! C'est le cas de la peur panique, qui entraîne souvent des comportements extrêmement dangereux pour celui dont elle s'empare.

D'autres personnes, vaguement conscientes que ce sont leurs pensées qui provoquent leur anxiété, tentent de se distraire, de penser à autre chose, de faire **diversion.** Là encore, le moyen peut être utilisé avec profit dans diverses circonstances, surtout quand il s'agit d'une anxiété relativement peu intense, d'une appréhension légère. Dans cette stratégie, une pensée en recouvre une autre, mais n'extirpe pas la première.

Si je ressens quelque inquiétude quand le dentiste met en marche sa fraise et s'apprête à me creuser une dent, ce sera peut-être suffisant, pour me calmer, que j'occupe mon esprit à penser à mes prochaines vacances, aux plages ensoleillées des Barbades ou à toute autre pensée plaisante ou neutre. L'événement "dangereux" étant de courte durée et occasionnel, la technique de diversion peut être efficace. Pour des situations plus fréquentes, cette approche sera insuffisante et épuisante, ou risquera de me mettre dans des situations ridicules. Ainsi, on conçoit mal comment je pourrais, sans inconvénients, en face du patron en train de me sermonner, concentrer mon esprit en proie à une vive anxiété sur mon prochain orgasme ou sur les jeux Olympiques.

D'innombrables personnes, avec la complicité des professionnels de la santé (belle santé!) utilisent des **drogues**, souvent baptisées du nom de médicaments. Les inconvénients sont considérables, à la fois au chapitre de la dépendance, du coût, de l'habitude et des effets secondaires de ces produits: affaissement, langueur, troubles hormonaux et le reste. Il ne s'agit pas de condamner en bloc tout usage des tranquillisants et autres drogues. Utilisés avec prudence et en doses modérées, ils peuvent parfois procurer un soulagement temporaire et faciliter une démarche plus résolument curative. On peut formuler ces mêmes remarques à propos des autres drogues que l'on peut se procurer sans la complicité du corps médical, et en tête desquelles se trouve l'alcool. Souvent le remède (d'ailleurs peu efficace) produit des effets pires que le mal qu'il tente de guérir.

D'autres personnes, enfin, croient tenir la clé thérapeutique de l'anxiété dans la ventilation et l'**expression**, et nombreux sont les professionnels de la santé dite mentale qui recommandent avec ardeur de telles procédures. Il s'agira de pousser le "cri primal", de confier ses angoisses à une personne sûre, de vomir ses tripes sur un divan, de hurler sa peur en courant dans les champs, le tout moyennant finances. Il m'apparaît que ces moyens, plus ou moins dramatiques et magiques, possèdent surtout des vertus palliatives. On peut se *sentir* mieux après avoir raconté ses misères à un autre, on peut éprouver du *soulagement* après avoir poussé des hurlements sonores et avoir maudit avec acharnement son père, sa mère, Dieu et l'univers, mais si les *pensées* qui ont originellement donné naissance à l'anxiété n'ont été que recouvertes temporairement ou ventilées, fut-ce énergiquement, il y a fort à parier que l'anxiété reviendra dès leur retour à la conscience de la personne.

J'aime mieux vous recommander, comme je le recommande à mes consultants, une méthode moins dramatique, moins coûteuse, plus ardue peut-être, mais dont je suis convaincu que les effets sont plus profonds et surtout plus durables. Cette méthode, c'est la **confrontation** de vos idées avec la réalité. Je ne m'étendrai pas longtemps sur ce sujet que j'ai traité abondamment dans un autre ouvrage *(S'aider soi-même).* Qu'il me suffise de rappeler que la confrontation consiste essentiellement à *comparer* les idées qui meublent votre esprit, les croyances que, sans vous en apercevoir, vous entretenez peut-être depuis des années, à la manière dont le monde est *réellement* construit, à ce qui *existe*. Si vous constatez que vos idées et croyances ne correspondent pas à la réalité, il vous reste à les *expulser* en les *remplaçant* par des idées et des croyances plus réalistes. C'est simple à dire et à décrire; c'est plus difficile souvent à pratiquer. A compter du prochain chapitre de ce livre, je commencerai à donner de nombreux exemples de cette démarche; aussi me limiterai-je ici à signaler quelques embûches que vous êtes susceptible de rencontrer sur votre chemin si vous choisissez de vous adonner à cette démarche.

Les malfaçons de la confrontation

Bon nombre de personnes qui s'adonnent à la confrontation pour la première fois sont portées à tomber dans le piège de la pensée **positive**. Elles arrivent à identifier leurs pensées correctement, mais tentent de les remplacer non par des pensées VRAIES, mais par des pensées BELLES, des exhortations, des mini-sermons, de l'auto-suggestion. En plus d'être souvent fatigantes et peu convaincantes, ces pensées sont, à mon avis, nettement moins efficaces que la véritable confrontation qui, elle, consiste à se dire des choses *vraies,* peu importe qu'elles soient agréables ou belles. Citons quelques exemples.

M. Dubois, en rentrant chez lui, trébuche sur les jouets de son fils dans l'escalier. Sa pensée est à peu près la suivante: "Petit misérable, ça fait cent fois que je lui dis de ne pas laisser traîner ses affaires...Il *devrait* m'obéir!" A la suite de quoi il ressent une vive irritation. Pour se confronter, il aurait avantage à se dire à peu près ceci: "Je n'aime pas que Jean-Luc laisse ses jouets dans l'escalier. C'est en effet dangereux et malcommode. Je lui ai demandé plusieurs fois de ne pas le faire. Cependant, rien ne l'oblige à m'obéir, il a parfaitement le droit de faire ce qui lui plaît (comme j'ai celui de lui signaler ma désapprobation par tout moyen que je jugerai approprié)."

Si M. Dubois se disait ce qui précède avec conviction, il est probable que sa colère diminuerait de beaucoup et disparaîtrait peut-être même complètement.

Il est préférable que M. Dubois ne s'épuise pas à se dire des choses comme: "Je n'ai pas le droit de me fâcher contre mon fils" (faux); "Un bon père ne fait pas bien de s'irriter ainsi" (petit sermon culpabilisant et faux); "C'est un bon enfant au fond, seulement un peu distrait...mais il a d'autres qualités" (pensée positive: fût-il un génie, c'est quand même malcommode pour les autres qu'il laisse ses jouets dans l'escalier); "Ça ne fait rien après tout...il n'est pas arrivé de drame" (auto-suggestion); "Voyons, Dubois, un peu de patience et de maîtrise de toi!" (exhortation).

Toutes ces manoeuvres m'apparaissent donner de moins bons résultats que la confrontation elle-même, consistant à me redire la réalité seulement, sans ajouter de glose consolante ou déformer la vérité.

Une seconde embûche à éviter quand on commence à se confronter consiste à s'attendre à des résultats *rapides* et *stables* en peu de temps. Cette attente amène de nombreuses personnes à essayer la confrontation pendant quelque temps puis à l'abandonner en constatant que les effets initiaux sont faibles ou même absents.

Il est important de se rendre compte que la confrontation est une démarche dont l'objectif est de changer les idées qui peuplent habituellement l'esprit d'une personne. Certaines de ces idées ont leur origine à une période reculée de la vie de la personne; elles ont commencé à s'enraciner durant les premières semaines de sa vie. De plus, elles ont été continuellement renforcées au cours des années par la répétition inconsciente des mêmes phrases intérieures.

Ainsi, une petite fille qui a commencé à apprendre sur les genoux de sa mère qu'il faut tout faire à la perfection et que l'erreur est condamnable, et qui s'est ensuite répété cette croyance pendant les quarante années suivantes des dizaines de fois par jour n'abandonnera probablement pas cette notion après deux ou trois confrontations, même bien faites et rigoureuses. C'est toute une habitude de pensée et d'action qu'il s'agit de changer et, malheureusement, les habitudes sont difficiles à déraciner. Une habitude aussi ancrée ressemble à un chêne séculaire qui ne s'abattra pas après quelques coups de hache. Il possède des racines profondes et tenaces qui ne céderont qu'après un long et ardu travail. Ellis *(A new guide to rational living)* compare la démarche de confrontation à un procédé de contre-propagande. Autant la personne a été bombardée de propagande par ses parents, ses éducateurs, la société qui l'entoure et surtout par *elle-même*, autant il devient indispensable pour elle, si elle désire abandonner les idées fausses qui causent son anxiété et ses autres émotions négatives de procéder à un vigoureux et prolongé effort de démystification et de contre-propagande. Ce sera un travail inlassablement répété et souvent monotone, consistant toujours à identifier l'idée déraisonnable, à la critiquer, et enfin à la contredire avec le plus de vigueur possible par la pensée.

Il s'agit bien là d'un travail de reconditionnement mental; certains de mes consultants s'objectent à cette démarche de reconditionnement, la qualifiant de dressage et de lavage de cerveau. Je leur réponds qu'à leur insu, ils subissent depuis des années un conditionnement efficace et constant, et que de fait ils ont déjà subi un lavage de cerveau puissant quoique graduel et imperceptible. Nous ne venons pas au monde avec des idées idiotes dans la tête, mais notre entourage ne tarde pas à remédier à cette carence en nous offrant une variété considérable d'idées erronées que, dans notre naïveté d'enfant et à la faveur de notre manque d'expérience inévitable, nous acceptons avec entrain. Comme si cela n'était pas déjà amplement suffisant, nous produisons nos propres conclusions erronées en interprétant de travers les personnes et les événements de notre vie d'enfant. Nous faisons une catastrophe d'un bonbon refusé et nous concluons facilement que personne ne nous aime et que nous sommes des monstres parce que notre mère a oublié de nous embrasser un soir. Certaines de ces notions disparaissent à mesure que nous devenons plus habiles à distinguer le vrai du faux: peu d'enfants croient au Père Noël et à la bonne Fée des étoiles après leur sixième année. D'autres croyances fausses, malheureusement, persistent et continuent à s'enraciner de plus en plus profondément avec les années, et ce n'est qu'après un régime rigoureux et prolongé de confrontations qu'elles céderont la place à la vérité.

Une troisième embûche consiste, pour le néophyte de la confrontation, à assumer trop rapidement qu'il a acquis *l'habitude* de confronter mentalement ses idées fausses et d'abandonner ainsi prématurément une procédure que je recommande à la plupart de mes consultants: la *confrontation écrite*. Cette démarche, fort simple, consiste à noter brièvement par écrit un certain nombre de confrontations par jour, selon un cadre précis. On trouvera en appendice la reproduction d'un formulaire que je mets à la disposition de mes consultants, ainsi que les directives qui l'accompagnent. Pour beaucoup de personnes, c'est une idée étonnante et initialement répugnante que celle de s'asseoir dans un endroit tranquille et de travailler *spécifiquement* à changer les idées qui les ennuient. Tout se passe comme si elles assumaient que cela devait leur venir naturellement, sans effort précis de leur part. Cela est peut-être dû au fait que la pensée est une activité que nous accomplissons rarement consciemment et pour elle-même. Elle accompagne la plupart du temps d'autres actions extérieures, tout comme la plupart des fumeurs fument tout en faisant autre chose: en travaillant, en marchant, en regardant la télévision, en conversant. Très peu d'entre nous ont l'habitude de *penser à ce qu'ils pensent*: nous nous contentons de penser tout court.

La confrontation exige justement un effort pour penser à quoi l'on pense dans telle ou telle circonstance. A ce titre, elle constitue pour la plupart des gens une démarche nouvelle. Aussi est-il fort utile au début de la faire par écrit, ne serait-ce que pour aider à fixer l'attention sur un objet essentiellement fugace et mouvant. La plupart des gens avec lesquels je travaille acceptent, après de plus ou moins longues résistances, de se mettre au travail et de rédiger des confrontations écrites, ce qui me permet d'ailleurs de les aider davantage en réfléchissant avec eux sur les améliorations possibles de ces confrontations. Cependant, devant l'effort nécessaire pour réaliser ce travail, et devant le temps, pourtant assez limité, qu'il demande, certains laissent tomber trop rapidement et déclarent trop tôt qu'ils sont habitués à se confronter mentalement. Le test de l'exactitude de cette déclaration se trouve évidemment dans l'examen de leur état émotif. Une personne qui a vraiment appris à confronter efficacement ses idées erronées ne traverse plus de périodes intenses ou prolongées d'anxiété ou d'hostilité, et on ne parviendra pas à me convaincre que des degrés intenses ou une présence fréquente de ces émotions désagréables peut cohabiter avec une démarche de confrontation rigoureuse et énergique.

Contrats et garde-fous

Pour aider mes consultants à s'aider eux-mêmes par la confrontation et l'action, je leur suggère souvent d'établir *avec eux-*

mêmes un contrat par lequel ils s'engagent à accomplir tel geste, à rédiger tel nombre de confrontations par jour ou par semaine, à rencontrer telle personne, etc. Le contrat, par sa précision et par la prise de décision qu'il comporte, facilite l'accomplissement de gestes appropriés et constructifs. Ainsi, Mme Dubois pourra s'engager *envers elle-même* à rédiger trois confrontations en moyenne par jour, ou à passer quinze minutes en moyenne chaque jour à se détendre mentalement et à confronter ses idées illogiques. M. Dupont se promettra *à lui-même*, après avoir confronté ses pensées "catastrophisantes", d'affronter son employeur et de lui demander les explications qu'il redoute depuis des mois de lui demander. Mlle Lacroix se résoudra à avoir une explication le moins orageuse possible avec son amant, explication qu'elle fera précéder de deux ou trois bonnes confrontations des idées qui causent son anxiété à cette occasion.

Ces contrats seront souvent assortis de ce que j'appelle des *soupapes,* pour éviter que la personne n'introduise ou ne maintienne un perfectionisme utopique. Ainsi, Mme Papineau, qui fait souvent des colères explosives aux membres de sa famille, pourra se déterminer à se confronter sur ce sujet une fois par jour *en moyenne* et à ne jamais céder à la colère *sauf* cinq fois par semaine. M. Demers décidera de réduire sa consommation d'alcool à trois bouteilles de bière par jour plutôt que de se fixer l'objectif inaccessible de l'abstention totale et immédiate, surtout s'il est habitué à en boire une douzaine quotidiennement.

Les contrats ont la plupart du temps avantage à être appuyés par ce qu'on peut appeler des *garde-fous.*

Il est important de se rendre compte que l'être humain est un être fragile et faible, dont les intentions sont souvent de meilleure qualité que la détermination à agir. La plupart d'entre nous trouvons beaucoup plus facile de décider de poser telle action ou de nous abstenir de telle autre que de réaliser *en fait* telle action ou telle abstention. Chacun sait qu'il est plus facile de dire: "Je demanderai une augmentation au patron" que de la demander en *fait*, et qu'il est plus aisé de dire: "Je ne boirai plus de bière" que d'abandonner en *fait* l'usage de la bière.

L'usage des garde-fous se base donc sur cette constatation de la fragilité du vouloir humain.

Dans un processus de changement, il est *souvent* important que la personne abandonne des manières d'agir nuisibles pour elle mais qui lui sont chères, et s'engage dans d'autres actions qui peuvent lui être profitables à divers égards, mais qui lui sont peu familières ou à l'occasion desquelles elle ressent de la peur. Dans ce processus, elle rencontrera les difficultés que nous avons décrites plus haut. C'est ici que le garde-fou devient utile.

M. Dubois, constatant que son habitude nuit considérablement à sa vie familiale et professionnelle, *décide* de ne plus boire d'alcool. S'il boit un verre d'alcool, il décide de verser $10 à une oeuvre charitable (excellent pour les oeuvres!).

Mme Dubreuil *décide* de prendre le volant de sa voiture deux fois par semaine pour s'exercer à acquérir plus d'assurance. Si elle ne le fait pas, elle décide de se passer de souper ces soirs-là (excellent pour sa ligne!).

Mlle Daviault *décide* de parler à trois inconnus par semaine, pour combattre sa timidité. Si elle ne le fait pas, elle décide que pour chaque omission, elle se couchera à 9h (excellent pour son teint!).

Mlle Bérubé *décide* de rédiger trois confrontations par jour en moyenne. Si elle ne le fait pas, elle décide de détruire un billet de deux dollars pour chaque confrontation omise.

Ce sont là quatre exemples de garde-fous négatifs. Voyons les positifs:

M. Dupont *décide* de dire à un employé que son travail n'est pas satisfaisant, malgré la crainte qu'il éprouve. S'il le fait, il décide de s'accorder une soirée au cinéma avec son épouse (excellent pour leur relation!).

Mme Dumais *décide* de faire son ménage du printemps, malgré sa lassitude et sa passivité. Si elle le fait, elle décide de se payer une toilette qu'elle convoite depuis longtemps (excellent pour son apparence!).

Mlle Drainville *décide* d'étudier son examen de chimie deux heures par jour. Si elle le fait, elle décide de se permettre d'écouter son programme de télé favori (excellent pour la détente!).

La recherche faite dans ce domaine, surtout par les psychologues d'orientation behavioriste, semble indiquer que les garde-fous positifs donnent de meilleurs résultats que les négatifs et qu'un mélange des deux genres semble donner aussi de forts bons résultats.

Vous me direz que c'est du conditionnement, et je répondrai: oui. Vous me direz que c'est de l'esclavage, du camp de concentration, et je répondrai: non, puisque on *force* un esclave à faire ce qu'il ne veut pas faire, alors que le garde-fou ne *contraint pas* mais aide quelqu'un à *faire ce qu'il veut.*

Certaines personnes, quand on leur parle de garde-fou, réagissent fort négativement et protestent qu'elles sont parfaitement capables de faire ce qu'elles décident sans user de moyens aussi contraignants.

A cela, je réponds qu'il existe deux possibilités: ou elles se trompent sur elles-mêmes ou elles ne se trompent pas. Si elles se trompent et que, de fait, elles sont moins déterminées à agir qu'elles ne le croient, les probabilités sont fortes qu'elles ne réalisent pas leur projet et qu'elles soient ensuite portées à se décourager devant cet échec. Cet échec et ce découragement sont à éviter le plus possible, parce qu'ils produisent un effet démoralisant et qu'ils diminuent l'efficacité du processus de changement.

Si elles ne se trompent pas, et que de fait elles accomplissent leur projet sans l'aide du garde-fou, il est néanmoins certain que le garde-fou ne leur aurait pas nui. Même si quelqu'un n'est *jamais* tombé en descendant un escalier, et même s'il croit fermement qu'il est tout à fait capable de descendre le prochain escalier sans tomber, serait-il vraiment raisonnable pour lui de demander qu'on enlève le garde-fou? Un alpiniste expérimenté, ayant escaladé sans encombre de nombreuses montagnes escarpées serait-il justifié d'entreprendre une nouvelle ascension sans se munir de cordes, de crampons, de piolet? A plus forte raison demeurera-t-on sceptique devant un alpiniste débutant qui déciderait d'escalader une montagne nouvelle et remplie d'embûches en souliers de ville, sans corde et sans crampons. C'est pour moi un sujet d'étonnement d'entendre de nombreuses personnes me dire que ce qu'elles veulent réaliser sera difficile, ardu, compliqué, que leurs chances de succès sont minces, et d'entendre ces mêmes personnes refuser avec énergie d'utiliser un moyen qui leur permettrait d'augmenter leurs chances de succès, de parvenir plus sûrement à leur objectif. J'avoue que cette apparente contradiction me porte souvent à douter de leur véritable désir d'accomplir ce qu'elles se proposent. Comme l'a déjà dit un auteur bien connu: "L'esprit est fort, mais la chair est faible!"

La variété des garde-fous est presque infinie. Ce sera à chaque personne de découvrir ce qui est le plus efficace pour elle. Il sera important de se souvenir que le garde-fou doit être assez solide pour effectivement empêcher une chute éventuelle. Sinon la personne est doublement perdante. Elle n'accomplit pas ce qu'elle voulait et, de plus, elle supporte une conséquence désagréable. Ceci se produit quand le garde-fou utilisé est trop faible. Ainsi, si M. Dubois boit trois martinis chaque midi depuis cinq ans, et qu'il décide d'utiliser comme garde-fou la somme de 50¢ pour chaque martini absorbé, il est très probable que le seul effet de ce garde-fou sera de lui faire payer ses martinis $2.50 plutôt que $2. Les choses seraient peut-être différentes si tout martini au-delà du premier lui coûtait $20.

C'est par expérimentation qu'on arrivera à trouver les garde-fous qui sont vraiment efficaces. Quand ce but est atteint, il est vraiment agréable de constater qu'il n'y a que des conséquences positives: M. Dubois cesse de boire à l'excès, ce qu'il voulait, et il fait de sérieuses économies (qu'il pourra utiliser pour des fins agréables et constructives).

En conclusion, il semble donc qu'on ne puisse que recommander l'usage du garde-fou, surtout quand il s'agit pour la personne d'acquérir un comportement nouveau ou de se défaire d'une habitude nuisible pour elle. L'usage du garde-fou permet en effet un apprentissage plus rapide et rend donc possible un abrégement de la période pénible de changement. C'est un bon moyen pour souffrir moins longtemps plutôt que de laisser la période de changement traîner en longueur.

Une dernière note sur la confrontation avant que je ne passe avec vous à l'examen des diverses peurs spécifiques.

Il vous sera souvent utile d'utiliser couramment ce que j'appelle des "confrontationnettes". Cet outil consiste en un résumé succinct d'une confrontation plus élaborée, déjà rédigée et ayant été faite plusieurs fois. Ainsi, si M. Lalonde s'aperçoit qu'il se rend souvent anxieux en se disant à lui-même que ce serait une terrible *catastrophe* si son épouse le trompait, qu'il *a besoin* de son amour pour survivre et être heureux, que la vie ne vaudrait plus la peine d'être vécue si elle le quittait, et autres affirmations non fondées de ce genre, il pourra élaborer une confrontation détaillée où il rétablira la vérité à peu près comme suit: "Je n'aimerais pas que ma femme me trompe ou me quitte, mais je reconnais que c'est son droit de mener sa vie comme elle l'entend, même si cette manière de vivre est frustrante pour moi. Il est faux de dire que ce serait une catastrophe qu'elle me trompe, puisque cette action ne serait pas irrémédiable en elle-même, et qu'il y aurait de nombreuses possibilités pour moi et pour elle de rétablir nos relations plus harmonieusement. Il est faux d'affirmer que j'ai besoin de son amour pour vivre et être heureux, puisque j'ai vécu heureux pendant des années sans même la connaître et rien ne s'oppose à ce que je sois heureux comme avant si elle me retire son amour ou me quitte".

Cette confrontation élaborée pourrait aussi être résumée en quelques mots comme: "Ça ne serait pas la fin du monde", "Ce serait ennuyeux, mais pas épouvantable", "Je n'ai pas *besoin* d'être aimé par ma femme pour être heureux".

Ces "confrontationnettes" sont destinées à être utilisées au long des jours, quand la présence d'idées angoissantes se fait sentir et que l'anxiété commence à monter. L'un de mes consultants allait, se répétant à lui-même: "Je suis un être humain", phrase banale en soi mais qui pour lui constituait le condensé d'un grand nombre de confrontations élaborées, arrivant toutes à cette conclusion qui, toute banale qu'elle soit, constitue tout de même une vérité inattaquable!

Dans les chapitres qui viennent, jusqu'à la fin de cet ouvrage, je vais examiner avec vous une série de peurs plus spécifiques. Nous n'épuiserons pas le catalogue et, sur chacune d'entre elles, il y aurait sûrement bien d'autres choses valables à dire. Mais ce livre est le fruit du travail d'un être humain imparfait et, avec son auteur, il partagera forcément cette caractéristique. Ces chapitres vous donneront au moins une idée des effets que peut produire la confrontation appliquée au domaine de l'anxiété.

Chapitre III

Antoine, ou la peur d'avoir peur

J'ai connu Antoine il y a quelques années, quand il avait quarante ans. Premier enfant d'une famille qui en comptait quatre, il en était aussi le seul garçon. Son père, militaire de carrière, ne tolérait pas chez son fils le moindre signe de faiblesse. Il l'avait entraîné à une vie spartiate, exigeant de l'enfant qu'il ne pleure jamais et fasse montre en tout temps de stoïcisme. Il déclarait qu'il se chargerait de faire un homme de son fils, abandonnant à son épouse, créature assez terne et effacée, l'éducation de ces êtres de second ordre que constituaient à ses yeux ses trois filles.

Le petit Antoine acquit ainsi très tôt *l'idée* et la *croyance* que les hommes doivent en tout temps faire preuve d'une fermeté de caractère exemplaire, et qu'éprouver la moindre peur est la preuve d'un caractère déficient, indigne de trouver grâce aux yeux impitoyables de son père. En conséquence, il avait vécu une existence d'une rare rigidité. A l'époque où je le rencontrai, son père était déjà mort depuis longtemps, mais les idées qu'il avait si soigneusement semées dans l'esprit de son fils n'en survivaient pas moins, enrichies et affermies par des années d'autopropagande de la part d'Antoine. Ce dernier s'était à son tour marié avec une femme qui constituait la copie conforme de sa mère et procédait à éduquer ses deux fils dans l'esprit des meilleures traditions transmises par son père.

Mais voilà...tout n'allait pas pour le mieux. Antoine commençait à ressentir des signes d'anxiété qui chez lui prenaient la forme d'insomnies et de douleurs abdominales. Les médecins consultés ne décelaient rien qui eut permis de conclure à la présence de troubles organiques. Antoine était en très bonne santé, mais il dormait mal et avait mal au ventre! En dernier recours, et bien qu'il méprisât ouvertement tous ces psychiatres, psychologues et autres "psy" tout juste bons selon lui à sécher les larmes de midinettes éplorées ou à calmer les angoisses de matrones défraîchies, Antoine aboutit dans mon bureau.

Avec le temps et nos conversations, il devint assez rapidement évident qu'Antoine avait peur d'avoir peur et redoutait au fond, s'il se laissait aller à éprouver de la crainte, de déchoir de l'image absurde qu'il s'était faite de lui-même avec le concours actif de son père. Le mépris profond qu'il professait envers les autres humains recouvrait en fait un grand mépris de lui-même. Son langage, et donc sa pensée, étaient émaillés d'obligations et d'absolus, de *il faut, on doit, il est essentiel,* dont il ne parvint que difficilement à constater l'illogisme. Des phrases comme: "Un homme, ça ne pleure jamais", "Seuls les êtres faibles ont peur", "C'est bon pour les femmes de trembler", revenaient constamment sur ses lèvres, sous des formes diverses. En fait, il récitait docilement la propagande paternelle, enrichie de ce que le battage publicitaire peut véhiculer de notions idiotes dans ce domaine, à partir du cowboy viril, écrasant tout sur son passage, jusqu'au concurrent olympique portant à bout de bras et d'une seule main le drapeau de sa délégation, aux applaudissements ébahis de la foule des obèses affaiblis et des pâles gringalets.

Ce cher Antoine! Nous avons eu quelques combats épiques avant qu'il ne se rende compte de la peur qui le tenaillait sans qu'il arrive à l'identifier. Lui, admettre qu'il était fait de chair et d'os comme tout le monde, qu'il n'avait pas une âme de bronze, qu'il était autorisé à se sentir tendre et doux, jamais! Plutôt souffrir mille morts que de reconnaître sa fragilité! Le pire, c'est qu'il s'entêtait dans ses idées absurdes parce qu'il avait appris à les trouver nobles et belles, la marque d'un esprit supérieur planant au-dessus de la vulgaire populace! En conséquence, les abandonner lui apparaissait comme une déchéance. Il voulait bien dormir et avoir les tripes en repos, mais il tenait mordicus à conserver les idées qui causaient son anxiété. Que ces idées fussent illogiques, il voulait bien le reconnaître dans l'abstrait, mais il refusait avec l'opiniâtreté de quelqu'un qui sent sa mort prochaine de les abandonner.

Car c'est bien de mort qu'il s'agissait. Pour lui, laisser de côté ses chères idées équivalait à *changer* une philosophie de vie qu'il s'était habitué à considérer comme la source même de la *valeur* de sa vie. Il me trouvait désabusé et cynique quand je tentais de lui démontrer que cette fameuse valeur de la vie, si elle existait, était de toute façon indémontrable et qu'il s'épuiserait en vain à tenter d'en apporter la preuve.

Il est fâcheux de constater combien cette notion de valeur se trouve à la base d'un nombre incalculable d'anxiétés. Tout le problème commence quand, sans se rendre compte de son erreur, une personne confond ses *actes* et sa *personne*.

Que nous portions un jugement de valeur sur nos *actes* ne comporte pas d'inconvénient et constitue au contraire une procédure saine, dont l'effet peut être de permettre une amélioration de la performance et de l'agir. Mais *conclure* de façon arbitraire que les actes se confondent avec la personne et porter sur cette dernière le même jugement de valeur qu'on a porté sur les actes constitue une démarche injustifiable. Voilà qui explique pourquoi la création d'une image de soi, fût-elle positive, est une entreprise à la fois insensée et dangereuse. Pour procéder à l'évaluation globale d'une personne, il nous manque des éléments qui sont au-delà de notre connaissance. Pour y parvenir avec quelque exactitude, il faudrait en effet réussir à dresser une liste de toutes les caractéristiques et de tous les actes de la personne, pondérer les éléments de cette liste selon des critères objectifs (qui n'existent que rarement) et enfin établir la somme de ces pondérations. Chacune de ces étapes est impossible à franchir pour un esprit humain, que son évaluation porte sur d'autres personnes ou qu'elle porte sur lui-même.

"Mais alors, disent beaucoup de mes consultants, s'il est impossible de se faire une image quelque peu exacte de soi, s'il est arbitraire de poser sur soi un jugement de valeur, comment allons-nous nous représenter à nous-mêmes?"

Je réponds que je ne vois pas l'utilité et encore moins la nécessité de ce genre de démarche et qu'il m'apparaît bien suffisant de me décrire à moi-même comme être humain. Je puis toujours ajouter que je *pratique* la psychologie, que *je suis capable* de réussir un très honnête boeuf bourguignon, que *j'écris* des livres et que je *peux* nager 100 mètres. Mais je ne *suis* globalement ni psychologue, ni cuisinier, ni écrivain, ni nageur.

Cette manie de porter une évaluation globale sur soi-même, de "faire le bilan" de soi-même n'est ordinairement que le prélude à une foule de comparaisons avec les autres, les unes, encourageantes ("Je suis plus fort qu'Arthur, plus intelligent que Paul, plus adroit que Jérôme"), les autres, déprimantes ("Je suis plus laid que Claude, plus lent que Zénon, plus naïf que Jean"), et qui sont toutes, les unes autant que les autres, indémontrables. Il me semble que c'est là le genre de jeu auquel il est préférable de ne pas se livrer, d'abord à cause de son inanité et ensuite à cause des effets morbides que ces pensées peuvent avoir sur la vie émotive.

Mais revenons à Antoine. Ce n'est que quand il se fut rendu compte qu'il luttait en vain pour s'assurer une estime personnelle que nul ne pouvait contester légitimement, et qu'il tentait, depuis son enfance, de satisfaire les exigences non fondées d'un père peu éclairé, qu'Antoine parvint à laisser de côté graduellement ses défenses et à admettre qu'il ne lui était *rien* demandé comme être humain, qu'il avait le *droit* d'avoir peur et qu'il n'était pas requis qu'il fît le surhomme. Il apprit aussi à reconnaître que, en fait, il avait souvent peur, mais que sa peur d'avoir peur lui faisait refouler ce sentiment, avec les effets que j'ai déjà décrits au niveau de son organisme. Cette barre de fer s'assouplit graduellement; après de nombreuses confrontations, il en arriva à changer petit à petit ses idées. C'était comme s'il naissait une nouvelle fois. Le monde et les gens lui apparaissaient plus sympathiques maintenant qu'il ne se croyait plus forcé de dépasser tout le monde par la "force" de son caractère. Il cessa de conduire sa vie comme un maître d'armes, ses fils purent souffler un peu et sa femme retrouva le goût de vivre avec lui. Le bonheur, qu'il cherchait comme tout le monde, lui apparut plus accessible, maintenant qu'il n'était plus alourdi par la masse de ses croyances absurdes.

Chapitre IV
Béatrice, ou la peur
de ne pas être aimé

Dans ce chapitre, je veux explorer avec vous l'une des peurs les plus répandues et les plus aiguës qu'il m'ait été donné de rencontrer. La peur de ne pas être aimé a poussé et pousse chaque jour des millions de gens à s'engager dans des actions pénibles, à vivre dans le danger et l'inconfort, à se livrer à des activités qu'ils détestent, à se rendre ridicules et pitoyables, tout cela pour conquérir l'amour et l'affection dont ils déclarent ne pouvoir absolument pas se passer et dont ils affirment avoir un impérieux *besoin*.

Béatrice avait vingt-huit ans quand je la rencontrai pour la première fois. Célibataire, elle avait vécu depuis une dizaine d'années avec une variété de partenaires masculins qui tous, après quelques mois ou quelques années, l'avaient quittée. Son dernier amour, après trois années de vie commune, venait de décider de rompre ses relations avec elle et Béatrice se trouvait une fois de plus complètement désemparée. Elle ne comprenait pas comment il se faisait qu'elle ne réussît pas à établir un lien stable avec quiconque, et pourquoi sa vie depuis quelques années était constituée d'une suite de ruptures.

Dès les premières minutes de notre entretien, il devint clair que Béatrice avait en tête une *idée* très ancrée, qu'elle partageait d'ailleurs avec d'innombrables êtres humains. Elle était convaincue au-delà de tout doute qu'elle avait un besoin *irrépressible et irremplaçable d'être aimée,* que ce besoin était naturel et humain et que rien au monde ne lui ferait changer d'avis sur ce point.

C'est le moment d'amorcer avec vous une réflexion sur les *besoins* en général et sur le besoin d'être aimé en particulier.

Mon expérience des dernières années, à la fois en consultation individuelle et dans les contacts que j'ai eus avec des groupes, m'a démontré avec évidence la résistance de la plupart des gens à admettre qu'ils n'ont pas besoin d'être aimés pour être heureux. Il suffit, en général, de prononcer la phrase: "L'amour n'est pas un besoin pour un être humain" pour immédiatement constater une très vive opposition de la part des auditeurs. Pour la plupart d'entre eux, cet énoncé semble absurde et son auteur leur apparaît soit comme un imbécile, soit comme un ignorant, soit comme un malade ou une combinaison des trois à la fois. J'aimerais d'abord formuler les objections principales de mes interlocuteurs et tenter de leur apporter une réponse qui respecte à la fois le bon sens et la réalité.

Première objection

Un être humain ne saurait être heureux s'il n'est jamais aimé par personne, puisque l'amour est un besoin fondamental de la personne. D'ailleurs, de nombreux philosophes, psychanalystes et psychologues ont souligné avec vigueur ce point, en affirmant que l'amour est indispensable au développement harmonieux de la personne et que, comme il est facile de le constater, les êtres qui ont été peu ou pas aimés quand ils étaient jeunes portent pour toujours les marques de cette carence affective, un peu comme un enfant sous-alimenté devient un adulte rachitique, faible, en proie toute sa vie aux maladies.

Deuxième objection

Non seulement l'amour est-il un besoin psychologique, mais c'est même un besoin physique. Spitz a constaté, disent mes interlocuteurs, que les enfants privés d'amour connaissent un taux de mortalité plus élevé que les enfants qui ont reçu l'amour et l'affection de leurs parents. Ainsi, Saint-Arnaud *(La personne humaine)* affirme que:

> Spitz a constaté qu'en l'absence d'un lien stable entre l'enfant et une autre personne, la mère ou un substitut, l'enfant développe une série de symptômes inexplicables au plan médical. La gravité de ces symptômes est telle que l'enfant dépérit au point d'en mourir. Dans le contexte actuel, il ne serait pas faux de dire que ces enfants meurent par manque de satisfaction de leur besoin fondamental d'aimer et d'être aimé. (p. 45)

Comme on peut le constater, les objections fondamentales s'établissent surtout sur deux points: l'amour est nécessaire au bonheur, l'amour est nécessaire à la survie de l'enfant. *Sans amour, le bébé meurt; sans amour, l'adulte ne peut être que malheureux.*

Pour répondre à ces deux objections majeures, commençons par nous attarder un peu à comprendre ce qu'est un besoin. Il semble que l'on puisse désigner par ce terme les éléments du réel dont la présence est *indispensable* ou *utile* pour la réalisation d'une condition ou d'un état quelconque. Ainsi, on sera tout de suite amené à distinguer des *besoins absolus* des *besoins relatifs.* Notons aussi qu'un besoin n'est jamais un en soi, qu'il est toujours relié à la réalisation d'une condition ou d'un état. Il n'existe pas de besoin en soi. Ainsi, on ne peut pas dire que quelqu'un a besoin d'une allumette, sans ajouter que cette allumette lui est utile s'il veut allumer un feu. Même des besoins comme manger, boire ou dormir sont reliés à la réalisation d'un état: la survie physique de l'individu.

Pour ce qui concerne la distinction entre *besoins absolus* et *besoins relatifs,* on pourra dire que les *besoins absolus* sont ceux dont la présence est irremplaçable pour la réalisation d'un état ou d'une condition particulière, alors que les *besoins relatifs* sont ceux qui sont susceptibles de connaître des substituts plus ou moins adéquats, permettant quand même de réaliser la condition souhaitée. Ainsi, il n'est pas réaliste de dire que quelqu'un a un besoin *absolu* d'un marteau pour planter un clou, puisque ce clou peut être planté par un marteau, par une tête de hache, par un maillet, même par une pierre. Par rapport à mon désir de planter le clou, je n'ai donc qu'un besoin *relatif* du marteau. Il n'en est pas de même pour ce qui concerne, par exemple, ma survie physique. Ici, je pourrai dire avec justesse et sans exagération que j'ai un besoin *absolu* de boire si je veux survivre. Un liquide quelconque est absolument nécessaire à ma survie, en ce sens que ce liquide quelconque est vraiment *irremplaçable* pour la réalisation de la condition de survie chez moi.

En résumé, donc, les besoins en soi n'existent pas dans la réalité. Tous les besoins existent en fonction d'un objectif à atteindre, d'une condition ou d'un état à réaliser. Parmi ces besoins, on peut distinguer ceux qui sont *irremplaçables* pour la réalisation de l'objectif: on les nommera *besoins absolus*. Tous les autres sont des *besoins relatifs*.

En nous basant sur ces considérations, reprenons maintenant les objections formulées au début de ces réflexions, en commençant par la seconde, celle qui fait de la réception d'amour un besoin dont la privation entraîne la mort du nourrisson humain. Selon la terminologie que nous avons adoptée, on voit que l'amour est ici désigné comme un besoin *absolu* en vue de la survie du bébé. Examinons ce qui en est de fait, selon les études de Spitz lui-même.

Ces études remontent à la période de 1945 à 1950 et rapportent les observations de l'auteur sur un certain nombre de jeunes enfants élevés dans des orphelinats ou des institutions.

Spitz constata une différence marquée entre le comportement de ces enfants et celui d'enfants élevés dans un milieu familial normal. Les enfants élevés en institution semblaient en retard dans leur développement physique et mental par rapport aux autres enfants.

Il semble clair que certains milieux institutionnels ne sont pas favorables au développement harmonieux de l'enfant. Les milieux qu'avait observés Spitz se caractérisaient par la pauvreté de l'attention portée à chaque enfant, par le faible taux de stimulation sensorielle, par la carence de moyens mis à la disposition de l'enfant pour explorer son environnement, manipuler des objets et entrer en contact avec d'autres enfants.

Cependant, conclure que ces enfants étaient ainsi affectés parce qu'ils n'étaient pas aimés constitue, à mon avis, une déduction imprudente. Il semblerait plus juste de conclure que ce qui a produit le retard des enfants en institution par rapport aux autres est justement le manque de stimulation et la pauvreté de l'environnement, et on ne voit pas pourquoi il serait impossible d'imaginer un milieu où l'enfant recevrait cette stimulation de la part de personnes qui n'éprouveraient pas pour lui d'affection particulière.

Vous me direz que justement cette stimulation et ces soins supposent l'amour de la part de la personne qui les offre à l'enfant et qu'il est inconcevable qu'une personne qui n'aime pas l'enfant lui fournisse ces éléments essentiels à son développement physique et mental. Je vous répondrai qu'il en est probablement ainsi dans la plupart des cas. L'enfant qui vient au monde a évidemment besoin qu'on s'occupe de lui, puisqu'il est rigoureusement incapable de se nourrir, de se vêtir, de s'abriter lui-même et qu'il mourra en peu de temps si quelqu'un ne subvient pas à ces besoins physiques. Il est probable, dans la plupart des cas, que la personne qui s'occupera de lui ressentira au moins un degré minimal d'affection envers l'enfant. Quant au développement ultérieur physique et émotif de l'enfant, il semble plus prudent de conclure que ce n'est pas *l'amour* qui les permet ou les favorise, mais plutôt les gestes et les comportements qui, chez la plupart des adultes, sont l'*expression* de l'amour, et qu'il n'est pas absurde de concevoir un laboratoire où des enfants seraient élevés par un personnel spécialisé qui poserait envers eux des gestes adéquats motivés non par l'amour mais par l'esprit scientifique, par exemple. Les recherches de Brackbill (*Research and clinical work with children*) dans ce domaine laissent à penser que loin d'être utopique, une telle condition est tout à fait réalisable. Ce dernier rapporte des observations effectuées dans une garderie résidentielle en URSS. Cette garderie est établie par l'Etat d'abord pour les besoins de la recherche. Les enfants y sont résidents de la naissance à l'âge de trois ans. L'équipement physique est perfectionné et inclut du mobilier spécial destiné à faciliter à l'enfant l'apprentissage de la mobilité. Selon Brakbill:

> Le programme de la garderie pour la stimulation verbo-motrice de l'enfant est très élaboré. Le personnel considère ce programme comme très important et digne d'efforts soutenus. Ainsi, à l'intérieur du programme général, chaque puéricultrice a des tâches spécifiques qu'elle accomplit chaque jour avec chaque enfant individuellement. Ainsi, par exemple, une puéricultrice a pour tâche de demander à chaque enfant à tour de rôle: "Où est le chat?, où est le visiteur?, montre-moi ton oreille! Montre-moi ta main!" et ainsi de suite. Chaque

bonne réponse de l'enfant est renforcée de façon appropriée.

Les enfants élevés dans cette institution ne donnent aucun signe de retard ni physique, ni social, ni émotif, ni intellectuel. Si on veut dire que les puéricultrices qui s'en occupent les *aiment* et que c'est cela qui fait toute la différence, on avance ainsi, à mon avis, une conclusion que les faits expérimentaux, en toute rigueur de termes, ne permettent pas de supporter.

Passons maintenant à l'adulte. Il est d'abord clair qu'un adulte a encore moins besoin qu'un enfant de l'affection de qui que ce soit pour survivre physiquement. Il lui suffira de recevoir l'acceptation minimale du boucher qui consentira à lui vendre de la viande, du tailleur qui consentira à lui vendre des vêtements ou du propriétaire qui consentira à lui louer un logement, pour pouvoir satisfaire amplement à ses besoins physiques.

"Mais je me balance de ce genre d'affection, s'écriait Béatrice, ce dont j'ai besoin, c'est de l'amour vrai et constant d'un être incarné, qui m'accepte comme je suis...Je ne peux pas être heureuse sans cet amour.La *preuve* c'est que quand un de mes amants me quitte, je suis toujours malheureuse et déprimée, jusqu'à ce que j'en retrouve un autre.

— Mais voilà justement la preuve éclatante que l'affection d'aucun d'eux en particulier n'est nécessaire à ton bonheur, puisque tu te consoles du départ du dernier avec l'arrivée du suivant. N'est-il pas évident que tu n'as pas besoin d'être aimée par aucun être en particulier pour être heureuse?

— Vous ne parviendrez pas à me convaincre de cela. J'ai besoin de mes amants, je n'en démordrai pas.

— Bon, réfléchissons un peu. N'as-tu pas été heureuse, Béatrice, quand tu étais plus jeune et que tu n'avais pas d'amants? Quand tu avais huit, dix, douze ans, étais-tu malheureuse comme les pierres faute d'amant?

— Non; j'ai même gardé de bons souvenirs de ma jeunesse, mais mes besoins à l'âge de dix ans n'étaient pas les mêmes que ceux que j'éprouve maintenant.

— Voilà un curieux *besoin,* qui apparaît après avoir été absent pendant des années. Est-il certain que ce soit un véritable *besoin?* Après tout, tu ne pourrais pas dire la même chose du boire et du manger, puisqu'il n'y a aucun moment de ta vie où tu aies pu te passer de ces choses sans périr. Il semble bien que ton "besoin" d'amants soit en fait *remplaçable,* qu'il ne soit pas un besoin absolu, tout comme l'allumette n'est pas absolument nécessaire pour allumer du feu, puisque je puis le faire avec un briquet, le soleil ou même en frottant deux morceaux de bois ensemble (assez longtemps, il faut l'avouer!). Tu t'es passée d'amants pendant des années et pourtant tu as été heureuse, de ton propre aveu. Tu pourrais donc conclure que ces amants ne sont pas essentiels à ton bonheur passé, actuel ou futur.

— Mais vous n'allez pas me dire que la vie vaut la peine d'être vécue si on n'est aimé de personne?

— Mais *pourquoi pas?* L'amour reçu est-il la *seule* chose qui donne du sens et de l'agrément à la vie? N'y a-t-il pas de nombreux exemples de personnes qui ont trouvé le plus grand agrément à leur vie non pas dans l'amour qu'elles recevaient mais dans celui qu'elles avaient pour les autres, dans leur travail, dans la recherche scientifique, dans l'excellence dans un sport ou une profession, dans l'exploration de la planète ou de l'espace. Je suis presque certain que tu connais des personnes qui vivent ainsi des vies heureuses, équilibrées, productrices et sereines, sans se préoccuper grandement de recevoir de leur entourage des tonnes d'affection et d'amour.

— Eh! bien, vous vous trompez. Je ne connais personne qui n'attache aucune importance à recevoir ou non de l'affection.

— Moi non plus, Béatrice, encore que cela ne constitue pas vraiment une preuve concluante, puisque mon expérience comme la tienne est forcément limitée. Mais il n'est pas nécessaire d'imaginer un être qui n'attache aucune importance au fait d'être aimé. Il s'agit plutôt d'en découvrir qui n'attache qu'une importance *relative* et non *absolue* à cet amour.

— C'est vrai que ce n'est pas la même chose... Ainsi, il y aurait moyen d'être vraiment heureux sans recevoir beaucoup d'affection de la part des autres...? Tout mon être dit le contraire!

— Cela est sans doute dû au fait que lentement, au cours des années de ton existence, tu t'es persuadée que l'amour se définit comme un besoin irremplaçable pour le bonheur. Remarquons que tu as été puissamment aidée dans ce travail de persuasion par tout ce que l'on répète autour de toi, par tous les téléromans où l'héroïne non aimée s'effondre dans le désespoir, par les contes pour enfant où l'arrivée du Prince Charmant amène immanquablement le bonheur sans limites de la pauvre Cendrillon, par toutes les chansons qui serinent à tes oreilles comme aux miennes le message mille fois répété que l'amour est indispensable au bonheur. Il y a de quoi laver le cerveau le plus résolument averti, et il n'est pas étonnant que tu sois arrivée à un tel degré de conviction sur ce point.

Dans la suite de nos entretiens, Béatrice arriva à comprendre comment il se faisait que ses partenaires la quittaient tous après quelque temps. Comme elle était convaincue d'avoir *besoin* de l'amour de chacun d'entre eux, elle vivait dans l'anxiété et réagissait avec panique au moindre petit signe de froideur ou d'éloignement. Pensez à la manière dont vous réagiriez émotivement si on vous menaçait d'interrompre votre respiration, ne serait- ce que pendant quelques minutes. Vous sentiriez probablement beaucoup d'angoisse, en autant que vous teniez à vivre car, dans ces circonstances, votre vie est vraiment menacée. Il en était de même pour Béatrice, comme il en est sûrement de même pour vous, à chaque fois qu'un élément de votre vie que vous avez défini comme un *besoin* se trouve menacé.

Cette crainte amenait Béatrice à s'accrocher désespérément à ses partenaires, à leur téléphoner dix fois par jour, à demander sans cesse de nouvelles marques d'affection et de nouvelles preuves d'amour. Elle était aussi, comme il faut s'y attendre, très facilement jalouse, puisque toute autre femme avec laquelle un de ses amis entrait en contact lui apparaissait comme une rivale possible, susceptible de lui arracher l'amour dont elle croyait ne pouvoir se passer.

Bien sûr, tout cela ne faisait pas une relation détendue et agréable. Plus Béatrice tentait d'emprisonner ses amants dans le réseau de ses exigences et de ses attentions, plus ceux-ci étaient portés à secouer le joug et à chercher un peu plus d'espace vital. Après quelque temps, ils n'y résistaient plus et la quittaient, amenant ainsi pour Béatrice ce qu'elle redoutait le plus et tentait le plus frénétiquement d'éviter. Ainsi, au lieu d'atteindre son objectif d'une relation stable et heureuse, elle s'en écartait par sa maladresse, due en grande partie à ses exigences déraisonnables, elles-mêmes basées sur la notion illogique de son besoin d'amour.

Il est tragique de constater combien cette *définition* arbitraire de l'amour comme d'un besoin, en l'absence duquel le bonheur est impossible, a pu faire le malheur de millions de personnes, au moment même où elles avaient en leur possession les éléments essentiels à la réalisation de ce bonheur.

Si vous étiez convaincu que vous avez absolument besoin pour vivre et être heureux d'avoir toujours en votre possession un billet de dix dollars, comment vous sentiriez-vous si, en ouvrant votre portefeuille, vous constatiez qu'il est vide? Il y a tout lieu de croire que vous seriez très angoissé, que vous vous sentiriez extrêmement menacé. Et si, ouvrant toujours votre portefeuille, vous constatiez qu'il contient bien dix dollars, n'est-il pas évident que vous vous sentiriez encore angoissé, appréhensif, habité par la peur de le perdre; et n'est-il pas vrai qu'alors vous agiriez avec beaucoup de prudence et de circonspection, qu'une grande part de votre énergie et de votre temps passerait à préserver ce fameux dix dollars, que vous seriez porté à devenir soupçonneux, considérant les autres comme des voleurs possibles? Vous vous priveriez ainsi du plaisir que vous pourriez prendre ailleurs, parce que vous ne seriez préoccupé que de la chose que vous auriez définie comme essentielle. Et si vous deveniez très malheureux, angoissé et hostile après la perte de cet argent, ce ne serait *pas* à cause de cette perte, mais bien parce que vous auriez *cru* erronément et abusivement que vous ne pouviez être heureux sans lui.

Ce que je viens de dire de l'argent s'applique à toute autre chose, que ce soit l'amour, le succès, la renommée, la santé ou tout autre bien. Ces choses sont évidemment désirables, souhaitables, satisfaisantes et agréables, mais si vous les définissez comme des besoins, le plaisir que vous pourriez ressentir à leur présence se changera en anxiété, en peur, en malheur. Et quand vous serez malheureux, ce sera à cause d'une erreur de logique, à cause d'une croyance idiote dont vous auriez le plus grand avantage à vous défaire en la contredisant vigoureusement par la pensée et l'action.

C'est ce que Béatrice parvint à faire, non sans efforts toutefois. Une fois délivrée, en partie au moins, de sa croyance à l'amour comme besoin indispensable, elle commença à retrouver plus de sérénité. Son anxiété baissant, elle cessa de faire une catastrophe des petites inattentions, des froideurs passagères, des oublis et des distractions de ses amants. François, qu'elle rencontra par la suite, la quitta aussi après quelques mois, mais apparemment parce qu'il était lui-même possédé de l'idée qu'aimer quelqu'un est dangereux et périlleux et qu'il redoutait toute forme d'intimité physique ou psychologique. Nous nous attarderons à cette forme de peur au chapitre six.

Béatrice, à sa grande surprise, réagit avec peine (car elle aimait bien François), mais sans la dépression extrême et l'abattement profond qui avaient suivi ses autres ruptures. Eventuellement, elle fit la connaissance de Guillaume et, aux dernières nouvelles, ils ne filent pas le parfait amour, qui n'existe que dans les romans à l'eau de rose, mais poursuivent une relation où chacun d'eux s'apprécie d'abord lui-même et où ni l'un ni l'autre ne définit son partenaire comme essentiel à son bonheur. Ils ne sont pas intoxiqués l'un de l'autre; ils s'aiment, et c'est fort différent. Béatrice n'éprouve pas le besoin de recevoir à tout instant des signes rassurants de la part de Guillaume puisque, paradoxalement, elle a fini par admettre qu'elle est bien heureuse avec lui, mais qu'elle pourrait fort bien l'être tout autant sans lui, seule ou avec un autre. C'est ainsi qu'elle se donne à elle-même la meilleure chance d'atteindre ce bonheur qu'elle a recherché avec tant d'ardeur et tant d'anxiété.

Chapitre V
Claude, ou la peur d'échouer

Si la peur de ne pas être aimé, que j'ai examinée avec vous au chapitre précédent, me semble la peur la plus répandue et la plus généralisée de toutes, je donnerai facilement la seconde place à la peur d'échouer. Bien rares doivent être ceux qui ne l'ont jamais éprouvée, et je sais que de nombreuses personnes en sont hantées pendant presque toute leur vie.

La plupart d'entre nous apprenons très tôt que non seulement il est agréable et souvent profitable de réussir ce qu'on entreprend, ce qui constitue une croyance raisonnable, peu susceptible de causer des dépressions en cas d'échec, mais encore que c'est une catastrophe de subir un échec, que l'échec démontre notre ineptie, notre manque de courage ou de volonté quand ce n'est pas le vice profond de notre nature. Il est clair qu'avec de telles idées dans la tête, l'échec, ou la seule perspective de l'échec, est de nature à provoquer une anxiété prononcée.

Comme on peut le constater, la peur de l'échec est fort souvent reliée à cette peur fondamentale de la personne de perdre sa valeur, de déchoir en tant qu'être humain, que nous avons explorée au chapitre III. J'ai tenté alors de démontrer que cette crainte reposait sur la confusion entre les actes et la personne qui les pose, et la conclusion abusive qu'un mauvais acte permet d'affirmer que son auteur est mauvais.

Ce sont bien de telles idées qui habitaient l'esprit de Claude. Il avait peur de ne pas réussir toute une variété de choses: ses prochains examens de compétence comme maître-plombier, ses prochaines vacances avec sa famille, son prochain contact sexuel avec son épouse; il redoutait d'ailleurs que sa femme ne le quitte si elle venait jamais à constater quel être misérable et surtout quel froussard il était. Il vivait dans la peur presque continuellement et, pour se rendre la vie plus supportable, il avait adopté l'un des moyens populaires mais inefficaces que j'ai décrit au chapitre I: il buvait comme une éponge, trouvant quelque repos dans les vapeurs de l'alcool et dans la compagnie de ses camarades de beuveries.

Comme c'était l'examen qui semblait lui occasionner le plus d'anxiété, et que cet examen était d'ailleurs imminent au moment où nous nous sommes rencontrés pour la première fois, c'est sur ce point que nous avons d'abord concentré nos efforts. Ceci correspond d'ailleurs à ma manière habituelle de travailler; dans une situation d'urgence, je trouve peu utile de m'attarder à une exploration des antécédents des problèmes qui affectent à ce moment la personne. D'ailleurs, à quelques détails près, ces antécédents me sont déjà connus, sans qu'il me soit nécessaire de prétendre au don de divination. Tout adulte a commencé par être enfant, et neuf fois sur dix, c'est pendant son enfance que les idées qui causent ses problèmes présents ont commencé à s'inscrire dans son esprit. Cependant, qu'il les ait acquises à deux, trois, sept ou dix ans, que ce soit son père, sa mère, son frère, sa grand-mère ou le curé du village qui les lui ait enseignées, par la parole ou par l'exemple, ne présente qu'un intérêt documentaire. Ce qu'il est important de cerner, ce sont les idées qui actuellement habitent l'esprit de la personne et qui sont la cause de ses problèmes actuels.

Même si la personne déclare vouloir me mettre au courant de ses antécédents familiaux et sociaux, je ne favorise pas a priori ce genre de récit et il arrive même que je m'y oppose carrément, surtout quand je crois discerner qu'il s'agit pour la personne d'une manoeuvre dilatoire, destinée à reporter aux calendes grecques son passage à la confrontation de ses idées et à son engagement dans l'action.

D'autres personnes, sans vouloir consciemment retarder leur propre amélioration, sont persuadées (et par qui l'ont-elles été, si ce n'est par les psychanalystes, psychiatres, et psychologues?) que la découverte de la racine historique de leur mal le fera du même coup disparaître. A les croire, si l'on parvient à découvrir quel est l'événement "traumatisant" de leur enfance qui les a tellement affectées, elles seront délivrées de leur anxiété. J'ai connu en rencontre thérapeutique quelques psychologues qui étaient persuadés du fondement de cette notion pourtant fantaisiste et l'un d'eux ne mit pas moins de six mois à se décider à laisser de côté cette exploration infructueuse pour se mettre au travail de purgation de ses idées non réalistes et à passer à l'action.

Quand bien même nous arriverions à découvrir, après des mois de recherche, que tout a commencé *quand* (et non pas *parce que*) la personne s'est sentie rejetée à l'âge de trois ans alors que la naissance d'un autre enfant a polarisé pendant un temps l'attention de ses parents, ou bien quand son père lui a réchauffé injustement le postérieur pour une faute qu'elle n'avait pas commise, il est fort douteux que cette seule découverte, par elle-même, fasse disparaître les sentiments d'anxiété et d'hostilité qui la tourmentent. Il lui restera encore tout le travail de confrontation à faire, l'expulsion des *idées* qui sont nées à l'occasion de ces événements et dont l'enracinement dans son esprit explique la présence actuelle d'émotions désagréables. On trouvera en appendice un document que je remets à mes nouveaux consultants et dans lequel j'expose les grandes lignes de la démarche à laquelle ils peuvent s'attendre en entreprenant une thérapie avec moi.

Revenons à Claude. Il se préparait donc de peine et de misère à son examen; sa préparation était d'ailleurs fort gênée par le fait que chaque fois qu'il se mettait à l'ouvrage, en tête-à-tête avec ses manuels, son esprit, au lieu de se concentrer sur la matière à assimiler, dérivait fréquemment sur des pensées comme: "S'il faut que je rate cet examen, ce sera terrible... J'aurai la preuve que je ne vaux rien... on va sûrement me demander des choses que j'ignore et j'aurai l'air d'un sot aux yeux des examinateurs... Je vais avoir des trous de mémoire... mon esprit va se vider... Je suis un raté... Je ne vois pas comment Gisèle va pouvoir consentir à continuer de partager la vie d'un borné comme moi... et avec cela, les vacances qui s'en viennent... Comme j'aurai raté l'examen, elles seront horribles... Les enfants vont être en diable contre moi, et combien ils auront raison... Je suis incapable de leur donner l'image d'un père solide et courageux... Je ne suis qu'une loque... Je ferais mieux, somme toute, de ne pas me présenter à l'examen. Ainsi, j'éviterais au moins l'humiliation de l'échec qui ne saurait manquer de se produire... Mais alors, comment pourrai-je encore me regarder dans le miroir, moi qui n'aurai même pas eu le courage de foncer pour une fois dans ma vie?... Quelle vie de chien!... Je serais mieux d'être mort ou de n'être jamais né...''

Pendant tout ce temps, Claude n'étudiait évidemment pas. Après des heures d'efforts pour tenter de se concentrer, il perdait courage et passait le reste de la journée au bar. Là, au moins, avec assez d'alcool dans les veines, il parvenait à oublier les idées qui le torturaient. Mais quand il était dégrisé, elles revenaient toutes, et à elles se joignaient de nouvelles pensées également déprimantes, dans lesquelles il se reprochait avec amertume d'être non seulement un piètre plombier, un piètre père, un piètre époux, mais aussi un méprisable ivrogne, incapable de faire face à ses responsabilités.

J'arrivai sans trop de difficultés à faire saisir à Claude que la cause véritable de ses difficultés se trouvait dans ses idées sur lui-même, notamment dans sa croyance qu'un échec, même important, constituait une catastrophe et qu'il *se devait* de réussir son examen. C'est d'ailleurs une caractéristique enviable du mode de thérapie émotivo-rationnelle d'être facilement compréhensible, même par des gens dont la culture livresque et intellectuelle est modeste. On pourrait même dire qu'elle est souvent plus facilement compréhensible par de telles personnes qui ont, en général, l'esprit moins embarrassé de théories plus ou moins farfelues et souvent éloignées du réel.

Aussitôt que Claude me sembla saisir les éléments essentiels de la méthode, je commençai à lui montrer comment se confronter. Nous ne disposions pas de beaucoup de temps, puisque l'examen n'était qu'à trois semaines de notre première rencontre. Dans le peu de temps dont nous disposions, j'essayai de lui montrer qu'il était absurde d'attacher autant d'importance à la réussite de cet examen, qu'il n'avait pas *besoin* de le réussir, qu'il pourrait d'ailleurs se présenter à nouveau s'il échouait, et que même s'il échouait toujours, cela n'entraînerait pas nécessairement pour lui et les siens un avenir misérable, qu'il y avait d'autres moyens d'être heureux qu'en étant maître-plombier, qu'un échec ne démontrerait ni sa stupidité ni son absence de valeur fondamentale. Je laissai pour plus tard la confrontation de son *besoin* d'être aimé et approuvé par sa femme et ses enfants, préférant parer d'abord au plus urgent.

Claude se mit à la tâche de confronter un certain nombre de ses idées illogiques. Ses succès furent d'abord inégaux et chancelants, mais en produisant dix ou quinze confrontations par jour et par écrit, il parvint à retrouver assez de calme pour étudier plus sérieusement. Le temps qu'il passait autrefois au bar, il put l'utiliser pour combattre ses idées angoissantes et étudier.

Enfin, le grand jour arriva et il se présenta à l'examen, qui comportait une épreuve écrite et une épreuve orale. Après avoir traversé l'une et l'autre avec assez de difficulté, il subit un nouvel assaut de ses vieilles idées et, pour la première fois depuis trois semaines, ingurgita assez d'alcool pour se rendre inconscient pendant plusieurs heures. Il se présenta enfin, plein de peur et d'appréhension, au bureau où on devait lui transmettre les résultats de l'examen. Il est difficile d'imaginer la joie immense qu'il éprouva quand la secrétaire lui apprit avec le sourire qu'il avait réussi et qu'on lui remettrait sous peu son certificat de compétence en la matière.

Comme vous pouvez vous en douter, le travail de Claude n'était pas terminé. Ses idées négatives n'avaient pas encore cédé la place au bon sens et à la raison. Mais au moins, il avait constaté *expérimentalement* que leur expulsion, même temporaire, lui avait permis d'atteindre son objectif. Il n'avait pas à me *croire* quand je lui disais que la confrontation est une démarche salutaire: il le *savait* pour l'avoir vécue.

De l'histoire de Claude, il me semble qu'on peut tirer la conclusion que la peur de l'échec repose presque toujours sur la démarche mentale consistant à exagérer les conséquences de cet échec, sur la transformation, par l'esprit, de l'échec en un événement non seulement *désagréable* et *désavantageux,* mais encore *horrible, affreux, intolérable.* Il n'en faut pas plus pour plonger quelqu'un dans la peur, mais beaucoup de gens comme Claude et peut-être comme *vous* ajoutent à cette première idée la notion que l'échec va démontrer sans l'ombre d'un doute leur manque fondamental de valeur. C'est à ces deux idées qu'il m'apparaît le plus important de s'attaquer si l'on veut se défaire de la peur de l'échec. Votre valeur fondamentale comme être humain, si elle est autre chose qu'une notion purement abstraite, ne sera jamais diminuée par quelque échec que ce soit et ne sera jamais augmentée par les succès les plus retentissants. Vous comme moi ne serons jamais que des humains et il est bien dommage que nous passions tant de temps et dépensions tant d'efforts à démontrer ce qui est évident ou à fuir ce qui est impossible.

Chapitre VI
Denise, ou la peur de réussir

Vous n'imaginiez peut-être pas qu'un être humain pouvait éprouver ce genre de peur et vous êtes probablement surpris de la retrouver ici. Et pourtant, elle existe et elle est sans doute plus répandue qu'on ne pourrait le croire. A mon avis, la peur de réussir se présente rarement sous cette étiquette, et ce n'est qu'en sondant sous la surface qu'on parvient à l'identifier. Elle permet d'expliquer bon nombre de comportements qui, de prime abord, semblent inexplicables.

Denise était venue me consulter pour de vagues maux de dos, alliés à un état général d'ennui et de lassitude, une espèce de vague à l'âme mélancolique. Elle travaillait depuis dix ans pour une agence de publicité; elle déclarait accomplir ses tâches ponctuellement et ne pas ressentir d'insatisfaction à ce sujet. Elle aimait son travail, disait-elle, et s'y trouvait bien. Il semblait donc, au premier abord, que le problème ne se situait pas à cet endroit. Le reste de sa vie semblait aussi tout à fait ordinaire et je me creusais la tête pour trouver d'où originait l'anxiété que, de toute évidence, Denise éprouvait. Une chose, cependant, m'intriguait. Comment se faisait-il qu'après dix années de travail au même endroit et avec les aptitudes qu'elle était la première à reconnaître, Denise se trouvât encore à occuper un poste subalterne au sein de l'agence qui l'employait? Tentant de répondre à ma propre question, je crus d'abord qu'il s'agissait d'un cas de plus de discrimination contre la femme qui l'empêchait d'accéder à un poste de commande malgré sa compétence. Mon hypothèse s'écroula quand Denise m'apprit que plusieurs autres femmes occupaient en fait des postes de direction à l'agence, et que, de plus, c'était une femme qui en était la PDG. Je pensai donc qu'il s'agissait peut-être de rivalité et de jalousie, mais alors Denise révéla qu'on lui avait offert plusieurs fois des postes supérieurs qu'elle avait toujours refusés, se basant, disait-elle en riant, sur les principes énoncés dans le *Principe de Peter*. L'auteur de ce volume qui a connu une très grande popularité il y a quelques années affirme avec humour que dans une organisation, chacun monte en grade jusqu'à ce qu'il ait atteint le niveau de son incompétence, et que c'est pour cette raison que les grands organismes fonctionnent mal; il déploie pour ses lecteurs diverses stratégies leur permettant d'éviter les promotions et de rester ainsi à un niveau de responsabilité où leur compétence a plus de chance de s'exercer.

Je commençai alors à me douter que Denise pourrait bien avoir *peur de réussir*. Mais pourquoi un être humain aurait-il peur de ce que tant d'autres, comme Claude, recherchent avec tant d'ardeur, redoutant par-dessus tout l'échec?

On peut arriver à comprendre cette réaction si on se souvient que le succès comporte souvent plusieurs aspects. Ainsi, il s'accompagne souvent d'un accroissement des responsabilités. Celui qui a du succès devient aussi plus facilement la cible des critiques et de la jalousie des autres. Il lui devient moins facile de jouer un rôle de critique de l'organisation. Il est appelé à se déclarer solidaire d'autres personnes qu'il a peut-être ouvertement critiquées auparavant.

De plus, dans le cas de Denise, un autre facteur pouvait jouer: sa condition de femme. Il n'est pas impossible que, dans une société comme la nôtre où c'est l'homme qui occupe le plus souvent les postes de direction alors que la femme est encore ordinairement reléguée à des tâches subalternes, beaucoup de femmes redoutent de laisser cette condition de collaboratrices, à la fois parce qu'elles se définissent comme incompétentes et partagent ainsi les préjugés de notre société à l'égard des femmes, mais aussi peut-être parce qu'elles craignent, en accédant à des positions d'autorité, de perdre une partie de leur féminité. Pour beaucoup de femmes, semble-t-il, l'idéal de la féminité consiste encore à se marier et à avoir des enfants, à jouer auprès de leur mari le rôle de première assistante. Il existe, à mon avis, encore peu de foyers où les tâches et les responsabilités sont non seulement partagées, mais assumées conjointement par les partenaires. Beaucoup de cellules familiales reproduisent encore le modèle du patron et de l'employée de confiance.

Sur le plan du travail, il peut fort bien en être ainsi également. On connaît assez les préjugés des hommes vis-à-vis de la femme occupant un poste de direction. On la taxe souvent de masculine, de "femme de carrière", alors que l'expression "homme de carrière" n'est jamais utilisée. On se gausse de ses prétentions, en répétant les mêmes vieilles scies: "La place de la femme est au foyer, avec les enfants", "Les femmes n'ont pas la forme d'esprit qu'il faut pour diriger et prendre des décisions administratives" "Le rôle de la femme est de supporter et d'assister l'homme dans sa noble tâche de conquête de l'univers". On passe soigneusement sous silence les femmes qui, dans l'histoire, ont occupé avec talent des postes élevés: si on a connu une Marie-Antoinette écervelée et une Mme Nixon effacée, il faut aussi se souvenir de la Grande Catherine de Russie et d'Elizabeth I d'Angleterre, qu'on qualifierait difficilement de timorées ou d'indécises.

Ces préjugés idiots, répétés inlassablement par des générations de mâles inquiets de leur masculinité et défendant hargneusement leurs privilèges acquis, sont malheureusement partagés par plus d'une femme. Et je me sens porté à approuver le diagnostic que de nombreuses femmes écrivains — de Simone de Beauvoir à Germaine Greer et Benoîte Groux — ont porté sur la femme, l'accusant d'être souvent le pire ennemi des autres femmes.

Denise se défendait bien d'ajouter foi à ces croyances aberrantes, mais ses dénégations n'étaient pas très convaincantes et plus nous parlions, plus j'étais persuadé qu'elle en était imprégnée sans trop s'en rendre compte. Certaines croyances très anciennes dans la vie de la personne possèdent ce caractère d'inconscience. Elles sont particulièrement difficiles à confronter, puisqu'elles sont ardues à identifier, tout comme il est difficile d'abattre un canard au fusil sans l'avoir d'abord situé dans la ligne de mire. Ces croyances ressemblent à un bruit monotone et persistant qu'on finit par ne plus remarquer à cause de sa présence constante et discrète. Ainsi en va-t-il, par exemple, du tic tac d'une horloge ou du ronronnement d'un ventilateur. On ne s'aperçoit souvent de la présence de ces bruits que quand ils s'interrompent.

C'est bien ce qui se passait pour Denise. A son insu, elle croyait que réussir dans sa carrière eut signifié pour elle une espèce de dépersonnalisation, un abandon de ses traits spécifiquement féminins et l'accession à un monde où elle se retrouverait isolée et chargée de responsabilités qu'elle se croyait incapable de porter. L'anxiété produite par ces croyances se manifestait par ses malaises physiques et sa mélancolie.

Elle se défendait en affirmant que rien ne l'obligeait à accepter les responsabilités qu'eussent entraînées les promotions qu'on lui offrait, qu'elle avait bien le droit de mener sa vie comme elle l'entendait et qu'elle n'était pas chargée de combattre les mythes culturels de sa civilisation. En tout cela, elle avait, évidemment, parfaitement raison. Mais c'est une chose que de refuser un poste parce qu'il ne nous plaît pas, et c'en est une autre de reculer parce que nous cédons à la peur. Dans le premier cas, l'anxiété est absente et ne vient pas gâcher l'existence.

Je passe rapidement sur les nombreuses entrevues pendant lesquelles Denise s'entêta à maintenir ses positions, malgré l'anxiété montante. Ce n'est qu'en apprenant à se confronter d'abord sur d'autres points mineurs qu'elle en vint graduellement à aborder ses pensées illogiques de base, relatives à son identité et à sa peur de réussir. C'est là une stratégie qu'il est souvent utile d'employer, parce qu'elle permet à la personne de s'équiper des instruments indispensables avant de s'attaquer aux racines du mal, tout comme un skieur perfectionne d'abord sa technique sur des pentes de difficulté moyenne avant d'affronter les plus difficiles.

Après plusieurs mois de ce régime, Denise se décida à accepter un poste légèrement supérieur à celui qu'elle occupait alors à l'agence de publicité. L'expérience fut concluante; non seulement ses douleurs dorsales disparurent-elles graduellement, mais elle retrouva aussi un goût de vivre et une créativité qu'elle n'avait pas ressentis depuis les premières années de son emploi.

Aujourd'hui, elle ne pense plus que la direction d'un secteur lui fait perdre sa féminité. Elle a appris à ne pas considérer comme catastrophiques les critiques inévitables dirigées contre elle. Elle a aussi constaté qu'elle pouvait fort bien assumer des responsabilités sans s'écrouler ni faire de dépression, à condition qu'elle continue à considérer ses échecs comme regrettables mais non pas irrémédiables, ses erreurs comme ennuyeuses, mais ni terribles ni dévalorisantes. Car au fond de sa peur de réussir se cachait la peur de l'échec, l'une et l'autre n'étant que des facettes de la même crainte fondamentale de ne pas être aimé et approuvé par tout le monde pour tout ce que l'on fait.

Chapitre VII
Etienne, ou la peur de l'opinion des autres

Vous qui me lisez, vous reconnaissez-vous ici? Vous l'avez, cette peur, n'est-ce pas? Combien de fois au cours des sept derniers jours ne vous êtes-vous pas abstenu de faire une chose qui vous plaisait ou ne vous êtes-vous pas contraint à en faire une autre que vous détestiez uniquement parce que vous vous êtes soucié de ce que les gens penseraient de vous? Nous sommes en présence ici d'une spécialisation de la peur de ne pas être aimé dont j'ai parlé à propos de Béatrice. Essayons de distinguer ce qui est raisonnable et ce qu'il peut y avoir d'exagéré dans cette peur.

Il ne s'agit pas de se ficher éperdument de l'opinion de tout le monde, à moins que vous ne puissiez le faire sans inconvénients majeurs. Ainsi, si vous êtes employé, il peut être important que votre patron ait une opinion favorable de vous comme travailleur, sinon vous risquez de perdre votre emploi. Si vous êtes médecin, dentiste, avocat ou garagiste, et que vous faites peu de cas de l'opinion de vos clients, il se peut fort bien que votre clientèle diminue de façon marquée. Voilà des cas où il est prudent de ne pas heurter inutilement les autres et dans lesquels, tout en sauvegardant votre liberté de pensée et d'action, il semble inopportun de se livrer à des déclarations fracassantes d'indépendance.

Parfois, quand j'expose à mes consultants ce qui précède, certains d'entre eux me reprochent de recommander une diplomatie sinueuse et revendiquent le droit de dire et de faire en tout temps tout ce qu'ils pensent et veulent. Je leur réponds que ce *droit* n'est pas en question et que, sans aucun doute, ils le possèdent, puisque tout être humain est entièrement autorisé à penser et à faire ce qu'il veut bien, en général et en détail. Mais si tout est permis, tout n'est pas toujours opportun, comme le disait déjà l'apôtre Paul aux chrétiens de Corinthe.

L'une de mes consultantes, infirmière travaillant en milieu hospitalier, me racontait combien les abus du personnel médical étaient nombreux envers les malades. Elle se sentait mandatée pour dénoncer ces abus et formuler à ses collègues des remarques critiques à propos de leur conduite professionnelle. Avec ce système, elle avait réussi à se créer bon nombre d'ennemis — nul n'est encore prophète dans son pays — et à se faire expulser de quatre hôpitaux. Cette démarche lui apparaissait noble et elle n'était pas loin de se prendre pour une martyre de la droiture et de la conscience professionnelle dans un milieu corrompu. Je rétorquai que cette démarche m'apparaissait au contraire empreinte de naïveté et qu'elle serait mieux de choisir son auditoire quand elle désirait dénoncer ces abus.

Cependant, mis à part ces cas où il peut être important pour quelqu'un de cultiver chez les autres une opinion favorable à son endroit, il existe d'innombrables autres circonstances où l'opinion des autres, qu'elle soit favorable ou défavorable, ne fait pas l'ombre d'une différence sur le déroulement concret de nos vies. Souvent, nous nous préoccupons du jugement favorable de parfaits inconnus que nous ne reverrons probablement jamais et dont l'influence sur nous est nulle.

C'était le cas d'Etienne. Etienne était venu au monde avec une caractéristique sexuelle qui, à ses yeux, revêtait une importance incroyable: il était doté d'un pénis un peu plus petit que celui de la moyenne des hommes. Ce que j'en ai entendu parler, de ce pénis, et encore ce n'était rien à côté de ce qu'Etienne se racontait à lui-même depuis des années! Soyons concrets: son pénis, à l'état de repos, mesurait environ 7 centimètres de longueur, ce qui est inférieur d'environ 3,5 centimètres à la moyenne des pénis humains. Etienne était persuadé que s'il revêtait un maillot de bain et se promenait sur une plage, tout le monde remarquerait aussitôt les dimensions modestes de son organe et en tirerait des conclusions défavorables sur l'ensemble de sa personnalité. Il entendait déjà les chuchotements crépiter à mesure qu'il déambulerait sur la plage: "Regarde donc ça... C'est pas possible... Il doit être mal pris... Pauvre diable... Quel zizi lamentable..." Cette seule pensée lui causait des sueurs froides; aussi s'abstenait-il prudemment de toute baignade, inventant toutes sortes de raisons pour s'excuser quand on l'invitait à faire un saut dans la piscine ou à prendre un bain de soleil. Il rêvait de vacances d'hiver aux Bermudes, mais allez donc vous promener aux Bermudes sans vous baigner!

Et ce n'était pas tout; il se trouvait trop grand, trop maigre, doté d'un nez long et de dents trop proéminentes, comme certaines femmes se préoccupent maladivement de leurs seins trop petits ou trop gros, de leurs fesses trop maigres ou trop grasses, de leurs jambes, de leurs bras, de leurs yeux et même de leurs orteils.

Je commençai tout de suite à confronter les idées d'Etienne sur ce sujet, tâchant de lui démontrer que l'opinion des gens sur son petit membre n'était d'aucune importance, à moins peut-être qu'il ne se disposât à avoir un contact sexuel avec eux; que, de toute façon, il n'y pouvait rien, puisque la science n'a pas encore découvert de moyen de faire croître à volonté cet organe, et que son anxiété ne provenait pas des dimensions réduites de son pénis, mais bien de l'importance absurde qu'il donnait à l'opinion des autres sur ce sujet et que, ce faisant, il se privait d'activités auxquelles il aurait pu trouver beaucoup d'agrément.

Etienne ne prisait pas cette démarche thérapeutique. Il refusait de confronter ses idées, prétendant qu'il s'agissait là d'une méthode simpliste et superficielle, que la racine du mal se trouvait ancrée bien plus profondément dans son enfance et dans les traumatismes primitifs qu'il avait dû éprouver alors. Il rêvait d'avoir un beau complexe d'Oedipe et me rabattait les oreilles de théories psychanalytiques.

Pour ma part, je ne voulais pas démordre de la réalité et je m'acharnais sans rémission à démolir successivement ses erreurs de logique et à lui prouver hors de tout doute que, quelles que fussent les racines historiques de ses sentiments actuels, c'était bien à ses *idées* actuelles qu'il s'agissait de s'en prendre pour qu'il arrivât à se défaire de ces sentiments. Comme je le fais pour des consultants particulièrement coriaces, je l'engageai à *essayer* un régime de confrontations pendant quelques semaines et à constater par lui-même les effets de cette procédure. "Si ça ne donne pas de bons résultats, lui disais-je, tu pourras toujours revenir à l'ancien système. Après tout, tu n'as pas beaucoup à perdre en *essayant* la confrontation. Le pire qui puisse arriver, c'est que tu aies fait des efforts pour rien pendant quelques semaines".

Ces appels répétés de ma part au bon sens et à l'objectivité finirent par donner des résultats. Etienne résolut de se mettre au travail d'identification et d'expulsion de ses idées non réalistes, portant surtout sur l'importance qu'il attachait à l'opinion des autres sur son apparence physique, mais aussi sur d'autres aspects de lui-même. Les progrès furent lents au début, et Etienne tenta plus d'une fois de revenir au système qui consistait pour lui à rechercher dans son passé les racines de ses difficultés présentes. Je lui suggérai de s'imposer des garde-fous, ce à quoi il consentit avec beaucoup de réticence. Je lui proposai aussi d'enregistrer au magnétophone tous nos entretiens et de les écouter ensuite, seul, à tête reposée. Voilà une autre technique que j'emploie avec bon nombre de mes consultants. Il y a toujours un magnétophone prêt à fonctionner dans mon bureau et je suggère au consultant d'apporter une cassette ou une bobine et de fixer sur bande le contenu verbal de nos rencontres. C'est souvent à une deuxième écoute que le consultant peut le mieux constater beaucoup de phénomènes. Ainsi, dès le premier enregistrement, Etienne constata combien il passait de temps pendant l'entrevue à se justifier et à se défendre contre moi. Cela nous amena à parler de l'importance qu'il attachait à ma propre opinion sur lui. C'était la situation idéale: ce dont Etienne me parlait, il le vivait avec moi au moment même où nous en parlions et il n'était plus nécessaire d'analyser avec lui des situations étrangères à la consultation et probablement déformées par ses souvenirs, puisque nos rapports nous offraient tous les éléments nécessaires à une véritable saisie de ses idées illogiques.

Entre temps, les confrontations d'Etienne, après les maladresses inévitables du début, commençaient à donner des résultats. Il s'aperçut qu'il pouvait, en se disant la vérité, calmer son anxiété. Il s'aventura en maillot de bain, dans son jardin, pour y tondre le gazon, sous les yeux de ses voisins et des passants, et fut surpris de ne ressentir que peu d'appréhension. On l'invita à une garden-party et il accepta de faire un saut dans la piscine à la vue de nombreux témoins. Il constata ainsi que la confrontation de ses idées absurdes lui apportait des résultats tangibles et cela l'encouragea à intensifier son travail en ce domaine.

Je ne peux pas vous en dire plus pour l'instant. Le cheminement d'Etienne se poursuit et il lui reste sans doute de nombreuses idées à identifier et à déraciner. Mais rien n'autorise à croire qu'il ne puisse pas lui aussi, à force d'efforts bien dirigés et en ne dépensant pas son énergie à de stériles recherches d'archéologie psychologique, arriver vivre une vie d'où l'anxiété et sa jumelle, l'hostilité, ne soient pas en grande partie absentes. Il s'est fait un programme précis de confrontations et d'action et, à l'heure où j'écris ces lignes, je me l'imagine facilement contredisant vigoureusement ses idées absurdes et s'engageant progressivement dans des actes où, sans heurter inutilement les autres, il s'efforce de plus en plus de faire ce qui lui plaît.

Chapitre VIII

Françoise, ou la peur d'aimer

Ce que je vais raconter de Françoise, je pourrais tout aussi bien l'écrire de François: la crainte d'aimer frappe un sexe comme l'autre, tout comme les autres peurs d'ailleurs. Comme le dit la chanson: "Tout le monde veut aller au ciel, mais personne ne veut mourir", il me semble parfois que tout le monde veut être aimé, mais que beaucoup de gens ont peur d'aimer les autres et, donc, s'en abstiennent, avec le résultat que nous avons une surabondance de clients pour l'amour, mais que le nombre de fournisseurs semble plus restreint.

Je ne parle pas ici de la peur de "faire l'amour", expression qui prête à confusion et qu'il vaudrait mieux remplacer par un terme comme "avoir des rapports sexuels". Cette peur est également très répandue mais j'en parlerai à propos d'Ivan, au chapitre XI. Pour l'instant, il importe de se souvenir qu'on peut très bien avoir des rapports sexuels réjouissants avec une personne qu'on n'aime pas, et que, d'autre part, il est tout à fait possible d'aimer profondément quelqu'un et n'avoir avec cette personne aucun contact sexuel.

Le sociologue canadien John Allan Lee, de l'Université de Toronto, a proposé une ingénieuse classification de l'amour en six types prédominants, rarement présents à l'état pur d'ailleurs, mais qu'on trouve ordinairement combinés ensemble chez la même personne. Cependant, d'une telle combinaison émergent ordinairement des constantes qui permettent de conclure que c'est surtout tel type d'amour qui prédomine chez telle personne *(Colours of love)*. Les six types d'amour énumérés par Lee sont les suivants:

L'amour érotique

Le symptôme le plus typique de cette forme d'amour est l'attraction physique puissante et immédiate d'une personne pour une autre. Il s'agit du "coup de foudre". L'activité sexuelle est intense, rapide et variée. L'amant recherche avec ardeur un idéal de beauté physique; tout l'intéresse dans son partenaire et il demande de plus en plus d'intimité psychologique. L'intensité de cette recherche et de cette demande rend la relation fragile et favorise les déceptions. Il semble difficile de baser une relation stable et mutuelle sur un amour primordialement érotique.

L'amour ludique

D'un mot latin signifiant *jeu,* l'amour ludique est primordialement conçu par ces amoureux comme un jeu, sans l'engagement et la passion que comporte l'amour érotique. Les amoureux ludiques aiment souvent plusieurs personnes à la fois et utilisent une variété de techniques pour garder avec chacune d'elles une relation non engageante. C'est l'amour type du Don Juan passant d'une partenaire à l'autre, rarement possessif ou jaloux, toujours prêt à s'amuser à aimer.

L'amour d'amitié

C'est l'amour sans fièvre et sans folie, une affection paisible. Les relations sexuelles jouent un rôle secondaire ici. Les sentiments intenses sont absents; c'est l'amour tout naturel, naissant sans bruit de longues fréquentations. Le mariage, les enfants font partie de l'amour d'amitié. C'est sans doute le type d'amour le plus stable: les partenaires amis possèdent des ressources de stabilité qui leur per-

mettent de traverser des épreuves auxquelles les partenaires érotiques ou ludiques ne résisteraient pas. Pas d'extases, mais pas non
plus de désespoir.

Lee présente ces trois premières formes comme les types fondamentaux de l'amour. Comme les couleurs, ils peuvent se mêler
l'un à l'autre et produire trois autres types:

L'amour maniaque (combinaison de l'amour érotique et de l'amour ludique)

Agitation, perte de sommeil et d'appétit, fièvre sont des
caractéristiques de l'amour maniaque. L'amoureux maniaque est
obsédé par la pensée de son amour. Il est insatiable de marques d'affection et la moindre inattention ou le plus petit signe de froideur
provoque son anxiété et sa douleur. Il est furieusement jaloux et facilement, à tour de rôle, extatique ou désespéré.

La plupart des amants maniaques sont convaincus de ne rien
valoir s'ils ne sont pas aimés. Ils croient avoir un tel besoin d'être
aimés qu'ils n'arrivent pas à laisser une relation suivre son cours et
précipitent les choses. Ces amours finissent rarement heureusement;
seuls quelques possédés de l'amour maniaque vont jusqu'à la violence ou au suicide, mais la plupart restent affectés à la suite d'une
rupture pendant des mois ou même des années. Il n'est pas impossible qu'un tel amour se développe en une relation stable, mais il faudra à l'amoureux maniaque un partenaire exceptionnel, capable de
survivre aux tempêtes émotives, de transmettre la même intensité
amoureuse et de convaincre finalement le maniaque qu'il est digne
d'amour.

L'amour pragmatique (combinaison de l'amour amitié et l'amour ludique)

C'est l'approche rationnelle. Dans ce type d'amour, on recherche la compatibilité d'humeur et de caractère, la similitude d'intérêts et d'éducation, l'accord des principes religieux et moraux. Ce
type d'amour n'est pas aussi froid qu'il peut le sembler. Une fois
qu'un compagnon stable a été choisi, des sentiments plus intenses
peuvent se développer. Alors que l'amour érotique ressemble à une

bouilloire brûlante qui va se refroidissant, l'amour pragmatique, initialement froid, se réchauffe lentement.

L'amour altruiste (combinaison de l'amour érotique et de l'amour d'amitié)

Il s'agit d'un amour universel et centré sur l'autre, patient, jamais jaloux et n'exigeant pas la réciprocité. Les sentiments sont intenses comme dans l'amour érotique, mais il s'y ajoute les composantes plus calmes et plus stables de l'amour d'amitié. C'est l'amour que les Grecs nommaient *agapè,* terme que la tradition chrétienne a adopté, à la suite de saint Paul, pour caractériser les relations qui doivent exister entre les croyants. Il s'agit bien du don généreux et sans égoïsme de soi-même à une autre personne.

Pour revenir à Françoise, il semblait bien qu'elle eut *peur d'aimer,* tout en désirant ardemment *être aimée.* Elle correspondait bien à la catégorie d'amantes que Lee inclut sous la rubrique de l'amour maniaque. Convaincue qu'elle ne valait rien, elle se trouvait dès lors acculée à une situation intenable. Elle désirait être aimée, mais redoutait que la proximité et l'intimité que suppose l'amour ne permette à ses amants de découvrir quelle dinde, quel être méprisable et abject elle était, selon elle. Ainsi, elle repoussait les avances de ses amoureux possibles, proclamant qu'elle n'était pas aimable, mais déclarant du même souffle qu'elle ne saurait vivre sans être aimée. Peut-on s'y prendre mieux pour s'empoisonner l'existence?

Il aurait été tentant pour un thérapeute de se faire ici le raisonnement suivant: "Puisque Françoise ne s'aime pas et désire ardemment être aimée, je vais l'aimer, moi, et ainsi, elle découvrira qu'elle est aimable et commencera à s'aimer elle-même." C'est là un danger non illusoire, puisque cette démarche ne conduirait la consultante qu'à croire avec encore plus d'ardeur qu'elle ne saurait être heureuse sans être aimée, au moins par son thérapeute, ce qui constitue une erreur néfaste, comme je l'ai exposé à propos de Béatrice, au chapitre 4.

Je résolus de suivre avec Françoise une tout autre approche, concentrant mes efforts non pas à lui prouver qu'elle était aimable, mais bien qu'elle n'avait pas besoin d'être aimée pour être heureuse, que même si je l'aimais d'un amour passionné, cela ne changerait rien au problème tant qu'elle conserverait dans son esprit ses notions absurdes.

Sa peur d'être rejetée, sous-jacente à sa peur d'aimer, se manifestait de toutes sortes de manières. Ainsi, elle reprochait aux hommes de ne s'intéresser qu'à la peau d'une femme et de ne penser qu'à coucher avec elle. Comme elle était, selon les goûts de notre société, fort jolie, je m'acharnai à lui démontrer que cela n'avait rien de tragique puisque, de toute évidence, c'est ce qui frappait d'abord chez elle. Après tout, on ne peut reprocher à quelqu'un de remarquer d'abord le contenant avant de s'intéresser au contenu et il semble abusif de qualifier un homme de vulgaire parce qu'il est stimulé érotiquement par la vue des formes harmonieuses d'une jeune fille.

Françoise en était venue à tenter de s'enlaidir délibérément, portant des vêtements informes et sales, laissant ses cheveux devenir une tignasse grasse et emmêlée, dégageant autour d'elle des odeurs douteuses.

En plus de ces idées, Françoise en avait d'autres héritées d'une éducation janséniste gracieusement offerte par ses parents, qui la tenaient eux-mêmes de leurs parents, et ainsi de suite. Sa famille lui avait présenté la sexualité comme un domaine dangereux et interdit, où le péché tenait bonne compagnie à l'horreur. Faute de se faire religieuse, solution que la génération qui avait précédé la sienne avait largement utilisée mais qui tombait déjà en défaveur à l'époque où elle aurait pu y penser, elle avait sans trop s'en rendre compte choisi de mener une vie de célibataire frustrée et renfrognée.

Qu'on ne se méprenne pas sur le sens de ces paroles. Je ne dis pas que tous les célibataires le sont à cause de leur peur d'aimer. J'affirme seulement que *parmi* les personnes qui ont choisi ce mode de vie, *il s'en trouve* qui ont posé ce choix pour cette raison, comme d'ailleurs il est clair que beaucoup de gens se marient non par amour, mais par crainte de rester seuls et à cause de la peur qu'ils ressentent à l'idée d'être incapables de se tirer d'affaire seuls dans la vie.

Comme vous le voyez, il y avait dans l'esprit de Françoise, une véritable forêt d'idées mal fondées, angoissantes, solidement enracinées. Le remède, quoique pénible et ardu, aurait consisté pour elle à les examiner soigneusement et à expulser par la confrontation celles qui lui causaient de l'anxiété. Françoise ne consentit pas à se mettre à ce travail. Même après de nombreuses entrevues, je ne parvins pas à la convaincre de se mettre résolument à la tâche. Elle préférait me demander un amour que je ne voulais pas lui donner et dont le don, d'ailleurs n'aurait rien réglé à sa situation puisque, selon sa technique favorite, elle l'aurait finalement repoussé.

Cette histoire, pour ce que j'en sais, finit mal. Après une dernière entrevue, au cours de laquelle elle projeta sur moi sa rage et m'accusa de lui refuser ce qui, à ses yeux, l'eut sauvée, elle disparut sans plus donner de signe de vie. J'ai tenté de la rejoindre, mais elle avait changé de domicile et de téléphone. Où qu'elle soit, je souhaite qu'elle ait pris conscience des idées qui la rendaient malheureuse et qu'elle s'en soit débarrassée. Sinon, je doute qu'elle connaisse jamais la paix puisque, quel que soit le lieu, quelles que soient les personnes qui l'entourent, elle transporte en elle-même, dans son esprit, les causes de son malheur.

Chapitre IX
Gérard, ou la peur de l'intimité

Gérard était un homme d'affaires qui avait fait une carrière réussie. A quarante ans, il se trouvait à la tête d'une entreprise fructueuse. Il était marié et père de cinq enfants; sa femme était une amie d'enfance qu'il avait fréquentée pendant sept ans avant leur mariage. Cependant, malgré son succès et son bien-être matériel, Gérard se plaignait de vagues appréhensions mal définies, de ne trouver aucun sens à la vie et d'être troublé par l'insomnie. On lui avait récemment découvert un début d'ulcère à l'estomac.

Après bien des heures de rencontre pendant lesquelles nous avions fait peu de progrès, je commençai à réaliser que la vie émotive de Gérard était d'une extrême pauvreté. Sa vie se résumait à son travail et à ses affaires. Chaque matin, comme un cheval fidèle, il reprenait le collier de son labeur, sans grande joie, mais sans grande répugnance. Depuis des années, avec la régularité d'une horloge bien réglée, il prenait à la même heure le chemin du bureau, passait huit heures à s'occuper de son entreprise, puis reprenait le chemin de la maison, un peu plus fatigué, se sentant un peu plus vieux. Il entrait chez lui, échangeait quelques paroles sans conséquence avec sa femme et ses enfants, dépliait son journal du soir et sirotait un scotch en attendant l'heure du souper. Celui-ci pris sans plus de temps qu'il n'en faut, il se replongeait dans sa lecture ou regardait un peu de télévision, mangeait un bol de céréales et se couchait. Il ne sortait que rarement avec son épouse; on ne lui connaissait pas d'ennemis, mais pas d'amis non plus. Pendant les week-ends, il se retirait dans un chalet, à la campagne. Sa femme l'accompagnait habituellement, mais Gérard préférait faire seul de longues promenades ou passer des heures solitaires sur le lac, à pêcher. Les deux époux, accompagnés parfois d'un ou de deux enfants, revenaient en silence le dimanche soir et une autre semaine commençait.

Depuis des années, Gérard faisait la nuit des cauchemars terrifiants, où il se voyait poursuivi par des bêtes féroces prêtes à le dévorer, ou enfermé dans des pièces dont les murs se rapprochaient lentement et inexorablement. L'angoisse que Gérard réussissait, par une terne routine, à masquer pendant le jour, revenait le tourmenter la nuit.

Gérard donnait tous les signes d'une personne que l'anxiété accable et il m'apparaissait probable que cette anxiété fut basée au fond sur la culpabilité. A mes questions, Gérard opposa d'abord des manoeuvres de diversion ou un silence obstiné. Ce n'est qu'après des mois qu'il finit par me raconter le secret qui empoisonnait sa vie depuis des années et qui expliquait sa réticence extrême à s'engager dans des relations d'intimité.

Gérard avait grandi dans un milieu rural isolé. Son père était agriculteur et élevait aussi quelques animaux, dans une ferme dont le plus proche voisin habitait à plusieurs kilomètres. A l'âge de douze ans, le petit Gérard s'était livré à des contacts sexuels avec une jeune génisse.

Bourrelé de remords, il se précipita au confessionnal. Mais alors, malheureusement, au lieu de rencontrer un être humain qui l'eut aidé à comprendre qu'il ne s'agissait là que d'un geste sans conséquences, n'entraînant de suites malheureuses pour personne, ni pour lui-même ni, à coup sûr, pour la génisse, il se trouva en présence d'un prêtre peu éclairé qui poussa des cris d'indignation et menaça le malheureux enfant des feux les plus ardents de l'enfer s'il osait jamais se livrer encore à des actes aussi honteux, aussi méprisables, révélateurs d'un esprit vicié. Remarquons en passant que si, au lieu de s'accuser d'avoir mis son pénis dans le vagin d'une vache, le petit

Gérard s'était reconnu coupable d'avoir regardé les fesses de sa petite cousine, d'avoir tiré des sons harmonieux de son propre petit instrument ou d'avoir épié la copulation de ses parents, il y a fort à parier que le prêtre aurait réagi de la même façon. Pour parler clair, la plupart d'entre nous avons appris que la seule expression de sexualité légitime consiste pour un homme dûment marié religieusement à introduire son pénis et rien d'autre dans le vagin de son épouse à lui, et nulle part ailleurs. Que son épouse, d'ailleurs, soit d'accord ou non, que ça lui tente ou non, cela n'a pas d'importance, tant que les règles sont respectées, les siennes à lui du moins!

Voilà donc l'"affreux" secret que Gérard traînait avec lui depuis des années et qui expliquait, au moins en partie, sa réticence extrême à nouer des contacts intimes avec les autres, redoutant toujours que cette proximité ne les amène à découvrir quel monstre sommeillait au fond de son coeur. Le cas de Gérard n'était pas isolé, comme il le croyait et comme on pourrait le croire facilement à moins d'avoir passé des années à écouter ce que les gens ne disent qu'à un thérapeute. J'ai connu une jeune femme qui était entrée au couvent pour expier ses "fautes de jeunesse": son frère l'avait joyeusement renversée un bel après-midi de juillet dans le foin fraîchement coupé. Et ces culpabilités ne se confinent pas au domaine de la sexualité, bien qu'elles semblent y germer avec une vivacité désolante. Vols, indiscrétions, curiosités, haines, infidélités, escapades, violences, autant d'erreurs que beaucoup de gens ne se pardonnent jamais et dont ils se punissent pendant des années par des vies monotones, émotivement ternes, vécues dans la solitude et l'angoisse. Une de mes consultantes se reprochait amèrement de ne pouvoir parvenir à l'orgasme avec son mari qu'en meublant son esprit de fantaisies où elle s'imaginait dans les bras de plusieurs hommes à la fois. Cette fantaisie est l'une des plus fréquentes qui soit et ne comporte aucun inconvénient, mais cette dame s'imaginait être dotée de l'esprit d'une prostituée (beau jugement de valeur sur ces personnes!) et refusait donc les contacts avec son mari ou feignait ses orgasmes faute de pouvoir les obtenir autrement.

Mais il fut heureusement assez facile d'amener Gérard à reconnaître que cet épisode de son enfance ne comportait rien d'épouvantable et ne constituait pas une horreur innommable, qu'il s'agissait plutôt, selon une interprétation plus raisonnable, de l'exploration tâtonnante d'un adolescent découvrant les forces de la vie en lui-même et manquant, à cause de sa timidité, de son isolement et des principes rigides transmis par sa famille, des occasions habituelles d'expression de sa sexualité.

Voilà bien une démonstration de plus que ce ne sont pas les événements de la vie qui sont la cause de l'anxiété et de l'hostilité que nous ressentons. Si l'on n'avait pas appris à Gérard, ou s'il ne s'était pas imaginé lui-même que ses contacts avec la génisse constituaient des crimes, je suis certain qu'il n'aurait ressenti *aucune* anxiété à cette occasion, pas plus qu'un chrétien n'en ressent à consommer une côtelette de porc ou à boire un verre de vin, alors que l'israélite ou le musulman de stricte observance s'écartent de ces mêmes gestes avec horreur. Toutes ces maudites croyances, le terme n'est pas trop fort, ont brisé assez de vies et empoisonné assez de personnes pour que nous soyons pleinement justifiés de vouloir nous en défaire. Je suis écœuré de voir jour après jour des êtres humains comme moi mener des existences bourrées d'anxiété et de peur, uniquement parce qu'ils ajoutent foi à des fables, à des croyances idiotes, à des préjugés absurdes, à des sornettes et des balivernes qu'un enfant de trois ans, dont l'esprit n'aurait pas encore été contaminé, dénoncerait sans hésitation comme de la bouillie pour les chats. Jésus-Christ a affirmé qu'à moins de redevenir un petit enfant, on n'entrerait pas dans le Royaume des cieux; je ne crois pas faire subir de torture à la vérité si j'interprète ces paroles en concluant que celui qui laisse envahir son esprit par des préjugés idiots non seulement n'accédera pas au bonheur, mais tombera à coup sûr dans un enfer d'angoisse et d'anxiété que, sans qu'il soit besoin d'en imaginer d'autre, l'homme a creusé lui-même par sa sottise.

Délivré progressivement de l'angoisse qu'il s'était créée lui-même, Gérard devint rapidement plus accessible. Sa femme et ses enfants le trouvèrent plus communicatif et plus détendu. Il trouva du plaisir, pour la première fois de sa vie, à parler de lui-même, de ses joies et de ses peines, de ses succès et de ses échecs, de ses peurs et de son courage avec sa compagne. Ne se prenant plus pour un monstre, il en découvrit moins autour de lui et la société des humains lui sembla plus attrayante. Il continua d'affectionner les promenades solitaires et les soirées de pêche, mais son esprit n'était plus meublé des mêmes pensées. Pour la première fois depuis longtemps, il se laissa aller à aimer sa femme et à se laisser aimer par elle.

La vie de Gérard n'est pas exempte de problèmes, car ils ne prennent pas tous leur origine dans l'esprit, mais il peut maintenant y faire face avec plus de force puiqu'il n'est plus contraint de traîner derrière lui le boulet de sa culpabilité. Il est seulement regrettable qu'il se soit délivré si tard de ce poids et qu'il ait gâté, sans le vouloir, tant de belles années de sa vie. Mais il ne sert à rien de déplorer le passé; c'est vers l'avenir que se déroule la vie.

Chapitre X
Hélène ou la peur du plaisir

Pour beaucoup de gens, le plaisir, à moins qu'il ne soit inséparable de quelque activité utile ou nécessaire, est immoral ou du moins suspect. Pour eux, le plaisir en lui-même est mauvais et doit être "justifié" pour devenir acceptable. Ils ont *peur du plaisir.*

Quoique notre société semble donner l'image de la libération et de la largeur d'esprit, je suis convaincu qu'il n'en est rien au fond et que les vieilles idées jansénistes et puritaines sont toujours vivaces dans nos esprits. La frénésie même de certains dans la recherche du plaisir recouvre souvent une mauvaise conscience anxieuse qu'on essaye de faire taire en l'étouffant sous la masse même de ce qu'elle réprouve.

Cette attitude semble prendre racine dans une confusion regrettable.

Il est clair, comme un moment de réflexion suffira à l'établir, que le *plaisir* ne se confond pas nécessairement avec le *bonheur,* en autant que ce dernier désigne une condition stable et permanente, exempte de toute perturbation et dont il semble bien qu'elle soit inaccessible, du moins parfaitement, dans un monde aussi imparfaitement organisé que le nôtre. Le plaisir désigne, lui, une condition plus transitoire, essentiellement temporaire et caractérisée par le fait qu'elle renferme son propre accomplissement et ne débouche que sur elle-même. Le bonheur est stable, le plaisir est passager; l'homme a un appétit insatiable de bonheur, mais il se rassasie plus ou moins rapidement de plaisir. On ne se lasse pas du bonheur, mais on arrive vite à trouver terne et ennuyeux un plaisir trop souvent renouvelé. Au huitième scotch, à la sixième semaine de vacances, après le dixième orgasme quotidien, le plaisir diminue jusqu'à s'évanouir et, si on persiste à le poursuivre, il se change facilement en dégoût. Essayez de fumer douze cigarettes à la suite, en ne faisant que cela!

D'autre part, l'entêtement maniaque à poursuivre le plaisir peut souvent éloigner d'un bonheur plus grand, mais dont l'atteinte est moins facile et moins immédiate. Si, le jour de la paye, M. Guindon brûle les trois quarts de son salaire à fêter et à jouer au poker, il éprouvera probablement du plaisir à le faire, mais il se réserve aussi des moments pénibles quand arrivera le temps de faire face aux factures mensuelles. Il eut peut-être été plus avisé pour M. Guindon de répartir ses revenus de manière plus sage, non d'abord parce que c'est plus beau, plus moral, plus aimable, mais plutôt parce que c'est une manière plus sûre d'obtenir plus d'agrément.

Cependant, bien que le plaisir ne se confonde pas avec le bonheur, bien qu'il en écarte parfois et qu'il soit souvent de brève durée, le point de satiété étant plus ou moins rapidement atteint, il ne s'ensuit pas qu'il faille logiquement le condamner et le mépriser, au nom de quelque morale grincheuse, pas plus qu'il ne serait raisonnable de mépriser le cuivre parce qu'il a moins de valeur que le platine. Parce que nous nous trompons souvent en plaçant notre bonheur dans des choses et des gens qui ne peuvent tout simplement pas nous l'apporter, il est absurde pour autant de se représenter tout plaisir comme mauvais ou dangereux et de fuir quand il se présente, ou de s'abstenir de le rechercher, ou de se culpabiliser quand, malgré soi, il fait sentir sa présence. On peut en arriver ainsi à une ascèse qui n'a rien de saint ni d'intelligent et qui ne démontre en fin de compte que la présence d'idées idiotes dans la tête de l'ascète. On pense à ces religieuses qui demandaient à la grande Thérèse d'Avila si elle croyait qu'il serait bon pour elles d'agir comme des sottes pour être ainsi méprisées davantage par leur entourage, et auxquelles la sainte répondit qu'elle ne croyait pas nécessaire qu'elles fissent d'efforts spéciaux et qu'elles étaient bien assez sottes sans cela!

Certains moralistes condamnent l'hédonisme, incluant sous ce terme toute recherche du plaisir pour lui-même, et vantent l'accomplissement stoïque du devoir. Il me semble qu'ils oublient ou ignorent que le ressort le plus puissant de l'action est la recherche du plaisir et qu'on n'aura pas beaucoup de succès à motiver un être humain à poser un geste à moins qu'il ne le considère profitable pour lui et donc, porteur de plaisir en lui-même ou du moins conduisant à l'obtention du plaisir ou du bonheur. Ceci s'applique tout autant au martyr qui accepte une mort pénible en vue de l'obtention du salut éternel qu'au buveur qui cesse de boire après son cinquième verre pour s'éviter les maux de tête du lendemain matin. Virgile le disait déjà: "C'est le plaisir qui fait agir tout être."

En conséquence, je ne vois pas pourquoi un être humain baserait sa vie et son action sur autre chose que la recherche du plaisir. Je m'entends déjà traiter d'épicurien par tous ceux qui n'ont jamais lu une ligne d'Epicure. Là encore, il y a méprise. Epicure, dans ce qui nous reste de ses oeuvres et dans les citations de lui qu'on peut trouver dans les écrits de divers autres penseurs anciens, ne semble jamais avoir prôné la recherche désordonnée du plaisir puisque, comme il le fait fort justement remarquer, cette recherche ne mène qu'à une destruction ou à un amoindrissement du plaisir lui-même. Il s'agit toujours de moduler les désirs et de ne rien se représenter comme absolument essentiel. L'homme qui veut vraiment jouir de la vie apprendra à se contenter de peu, puisqu'il sera alors délivré de l'inquiétude de perdre ce sur quoi il a maladroitement basé son plaisir (Rodis - Lewis, *Epicure et son école*). Comme on peut le constater, on est loin de la frénésie et de la recherche démente de tous les plaisirs indistinctement.

Le problème se pose fondamentalement au niveau du discernement. Devant un plaisir offert, il importe que j'utilise ma raison pour arriver à distinguer si son atteinte ne me privera pas de plaisirs plus grands, s'il n'y aurait pas avantage pour moi, à plus ou moins longue échéance, à différer ou même à éviter ce plaisir pour pouvoir obtenir encore plus de plaisir. La frustration en elle-même n'a rien de beau, de noble ou de moral; elle est au contraire pénible et ne devient utile que si elle conduit à l'obtention du plaisir.

Je peux donc, sans honte ni timidité, rechercher hardiment le plaisir en tout ce que je fais. Je n'ai que faire de devoirs et d'obligations inexistantes. Tout m'est permis et rien n'est interdit. Cependant, si je suis avisé, il m'apparaîtra bien vite que certains plaisirs ne sont accessibles qu'après de longs efforts pénibles, exigeant que je discipline ma pensée et mon action, tout comme les noix ne livrent leur plaisir qu'à celui qui a eu la patience et la force de briser leur coque. J'aurai ainsi avantage à laisser de côté certains plaisirs qui m'empêcheraient d'en obtenir d'autres que je préfère. C'est un problème de bon sens et de stratégie plus qu'un problème de morale. On peut même affirmer que bon nombre des problèmes qui gâtent nos vies proviennent non pas d'une recherche excessive du plaisir, mais bien au contraire d'une carence paradoxale du goût d'être heureux et d'un manque d'imagination permettant de se représenter à l'avance des plaisirs plus grands, susceptibles d'être atteints à travers l'effort, alors que trop souvent nous nous attardons sottement à des plaisirs faciles dont nous nous lassons vite.

Si, à cette imagination diminuée, emprisonnée dans les liens des conventions, des préjugés et des idées toutes faites, s'ajoute la crainte du plaisir, comme c'était le cas pour Hélène, on s'imagine assez facilement combien la vie peut devenir terne. Fuyant le plaisir comme mauvais, elle le trouvait perversement dans cette fuite même, se glorifiant de vivre une vie supérieure à celle du commun des mortels, mais finalement forcée de reconnaître qu'elle s'ennuyait à mourir.

Comme c'est le cas souvent, c'étaient d'abord les plaisirs reliés à la sexualité qui lui faisaient horreur. Il est frappant de constater combien cette catégorie de plaisir a été stigmatisée, du moins dans notre récente culture occidentale, surtout depuis le règne de cette bonne reine Victoria. Il n'est pas étonnant d'ailleurs que l'Eglise catholique, dont l'élément dirigeant est composé entièrement de célibataires, chastes et continents en principe, n'ait pas proclamé avec beaucoup d'enthousiasme les charmes des plaisirs érotiques et en ait entouré l'obtention d'un nombre considérable de conditions, menaçant les contrevenants de châtiments égaux ou supérieurs à ceux réservés aux assassins, aux exploiteurs des faibles, aux tyrans de l'humanité. L'enfer chrétien brûle des mêmes feux le masturbateur, l'homosexuel et le fétichiste d'une part et, d'autre part, le voleur de fonds publics, le fonctionnaire vénal et le tortionnaire de malheureux dissidents. On croirait même, à entendre les dénonciations et les menaces des supérieurs ecclésiastiques, que ces derniers s'en tireront avec quelque temps de purgatoire, alors que le pauvre diable qui trouve un quelconque plaisir à tirer sur son petit membre ou la veuve solitaire qui, avec combien de culpabilité, laisse ses doigts errer du côté du mont de Vénus, paieront ces folichonneries inoffensives d'un stage éternel dans la rôtissoire. Voilà qui est fort raisonnable! Pourtant, le fondateur même de cette religion a prétendu réserver des places de choix dans son Paradis aux femmes qui gagnent leur vie à exercer le plus vieux métier du monde. Comprenne qui pourra! On trouvera dans Zwang *(Lettre ouverte aux mal-baisants)* une critique aiguë en même temps qu'humoristique des tortionnaires de l'humanité au chapitre de la sexualité.

Quant à Hélène, je ne vous en dirai pas davantage, vous laissant le *plaisir* d'imaginer son histoire et sa conclusion. Je vous dirai seulement que, pour la peur du plaisir comme pour les autres, la confrontation demeure, dans la plupart des cas, la démarche la plus fructueuse. Certes, les idées qui la causent sont particulièrement tenaces et une nouvelle morale du plaisir n'est pas facilement accessible à celui qui, depuis l'enfance, l'a considéré comme nocif et coupable. Mais l'esprit humain est plus fort qu'on ne croit et, une fois délivré des chaînes de la sottise et du préjugé, il possède des capacités remarquables de récupération.

Chapitre XI
Ivan, ou la peur d'être impuissant

Pendant que j'écris ce chapitre, des milliers d'érections vont s'éveiller, grandir, puis s'effondrer, à travers le vaste monde. Des milliers de femmes vont se retourner vers le mur, déçues ou furieuses et des milliers d'hommes vont contempler avec amertume cette partie de leur anatomie qui refuse malignement d'obéir à leurs désirs.

Pour la plupart d'entre eux, ces lamentables affaissements seront tous dus à la même cause: la crainte sournoise qui se tapit dans leur esprit de ne pas "être capable". Ce que je dis des hommes s'applique tout aussi bien aux femmes, dont les orgasmes mort-nés ne se comptent pas et dont la passivité et l'inertie sexuelle sont également, la plupart du temps, attribuables aux idées qui occupent leurs esprits pendant l'acte sexuel.

Il est bien connu que l'impuissance chez l'homme ou la frigidité chez la femme ne sont que très rarement causées par des problèmes physiques. Le vieillissement semble produire chez la plupart des gens une diminution de la puissance sexuelle, encore qu'il existe de nombreux vieillards demeurés très "verts". Certaines maladies du système nerveux peuvent aussi affecter le fonctionnement sexuel, mais il semble certain que la plupart des problèmes dans ce domaine sont d'origine psychologique (Katchadourian & Lunde, *La sexualité: concepts fondamentaux*).

Comme de nombreux penseurs l'ont fait remarquer, l'organe sexuel principal de l'être humain ne se situe pas entre ses deux jambes, mais au-dessus de ses yeux! En somme, ce sont les contenus mentaux qui font toute la différence entre un coït réussi et un autre qui se termine par l'échec. L'anxiété, la peur, la tension psychologique, l'hostilité, l'inquiétude, autant d'émotions qui sont difficilement conciliables avec des prouesses sexuelles.

Ivan se plaignait justement de connaître un pourcentage élevé d'échecs dans ses rapports sexuels avec sa partenaire. Ce n'était pas qu'il ne l'aimait pas: au contraire, il avait pour elle une affection profonde, enracinée par des années de vie harmonieuse ensemble. Je lui suggérai d'examiner quelles idées habitaient généralement son esprit quand il entreprenait avec elle un rapport sexuel. Ce qui suit constitue un fragment d'une de nos nombreuses conversations sur ce sujet.

— Alors, Ivan, comment vont les érections?

— Pas fameux encore. Hier soir, j'ai essayé de faire l'amour avec Juliette; les enfants étaient partis au chalet, nous avions décroché le téléphone. Nous avons passé un long moment à nous caresser et à nous étreindre, mais je suis resté inerte, pas le moindre tressaillement. Comprends-tu quelque chose à cela?

— Pas clairement encore, mais nous pourrons peut-être y arriver si nous nous attardons à ce qui se passait dans ta tête pendant cette période d'étreintes et de caresses.

— Il me semble que je ne pensais à rien de précis.

— Cela est possible, mais peu probable, Ivan. Cherchons un peu et nous arriverons peut-être à identifier les pensées que tu avais alors. Dans quel esprit abordes-tu les contacts avec ton épouse?

— Eh! bien, je veux lui faire plaisir...

— D'accord, mais il doit y avoir autre chose...

— Je voudrais bien réussir enfin à me rendre jusqu'au bout...

— Je te soupçonne de te dire à toi-même que ce serait bien terrible s'il fallait que tu échoues encore une fois, que cette fois-ci, il *faut* que ça fonctionne et que tout aille bien... Est-ce que ce que tu te dis ressemble à cela?

— En partie seulement. C'est vrai que je suis tendu et que je me dis qu'il faut que j'y arrive, sinon...

— Sinon... tu seras une demi-portion, un laissé pour compte, un moins que rien?

— Pas tant que ça, mais tout de même, il faut bien qu'un mari réussisse au moins parfois à faire l'amour avec sa femme!

— Faux, archi-faux, absurde, déraisonnable, non réaliste et idiot. Il n'y a rien qui *exige* qu'un mari réussisse même une seule fois à conserver son érection. La voilà, la coupable, l'idée qui fait tomber ton pénis comme le chêne sous l'orage. Si tu as le malheur de conserver ce "il faut" dans ta pensée, je doute fort que tu parviennes au coït.

— Allons donc... ça ne se peut pas qu'une seule petite pensée comme celle-là ait des effets aussi dramatiques! Il doit y avoir autre chose.

— Peut-être, mais nous avons identifié, je crois, au moins une part de la cause de tes échecs amoureux. Tu as probablement dans l'esprit d'autres idées qui tiennent compagnie à celle-là pendant que tu fais l'amour. Cherchons un peu.

— Je me dis aussi que ma femme va être encore déçue si je n'arrive pas à la mener jusqu'à son orgasme.

— Je le pensais bien... Voilà de quoi te payer une bonne dose de culpabilité quand tu échoues. En autant que je comprenne, il semble bien que pendant que tu caresses ta femme et que vous vous étreignez, tu as dans la tête toutes sortes de pensées comme: "Je vais encore manquer mon coup... Quel désastre... Bientôt, oh horreur!, j'aurai la preuve que je suis devenu impuissant... Quelle tristesse pour cette pauvre Juliette qui m'aime tant... Mais je ne suis pas capable... Je n'y arriverai plus jamais... Qu'est-ce que j'ai donc, diable d'affaire... Je dois être un malade... J'ai pourtant des érections splendides quand je dors et que je rêve... Je dois être un malade psychologique... Un pitoyable névrosé, tout juste bon à se masturber solitairement, incapable de faire jouir une femme... Quel désastre..." Remarquons, Ivan, que ces pensées sont fort peu érotiques et que, bien loin de favoriser la réalisation de tes érections, elles ont de quoi faire tomber un obélisque si ce dernier pouvait *penser*. Tu ferais mieux de les confronter rigoureusement.

— Mais comment? Je pense tout ce que tu dis, mais tout cela est vrai. Ce sera vraiment un désastre si je n'arrive plus à faire l'amour avec Juliette, et j'aime mieux crever que de mener la vie d'un impuissant frustré.

— Mais qu'est-ce que tu racontes là? Me diras-tu que si, à la suite d'un accident, on devait t'amputer le pénis, tu préférerais la mort?

— Non, cela est idiot. Mais alors, ce ne serait plus de ma faute... Je ne pourrais pas faire autrement et il ne me resterait qu'à me résigner.

— Mais si c'est cela que tu ferais dans l'éventualité d'un accident, *pourquoi ne le fais-tu pas tout de suite?* Tu dis toi-même que si cet accident arrivait, tu préférerais encore vivre que mourir, ce qui implique que tu trouverais encore quelque agrément à la vie, même si pour toujours il te devenait impossible de faire l'amour. Si cela est vrai dans le cas de l'amputation, à plus forte raison cela doit l'être aussi alors que tu es encore doté d'un pénis. Tu ferais donc mieux de te convaincre de la vérité que tu viens toi-même d'énoncer, à savoir: une vie sans copulation peut tout de même être passionnante et il existe d'autres plaisirs que celui, très réel, que l'on peut trouver dans l'orgasme. Tu ferais mieux de considérer tes échecs comme désagréables et ennuyeux, mais non pas comme terribles et catastrophiques.

— Voilà un remède pénible à avaler...

— Peut-être, mais si la confrontation de tes idées n'est pas une partie de plaisir, l'effet que ces idées produisent chez toi n'est pas non plus très rigolo.

— Mais ma femme Juliette, dans tout cela, que devient-elle? C'est bien beau pour moi de confronter mes idées et de me résoudre à voir mes érections s'effondrer sans trop de désespoir, mais elle? Je ne peux tout de même pas lui imposer de passer ses jours avec un impuissant et de garder le sourire!

— Tu ne peux en effet rien lui imposer, et il sera peut-être pénible pour elle d'accepter ton impuissance si, *en fait,* elle doit se continuer encore longtemps, ce qui est loin d'être certain. Cependant, ceci constituera son problème *à elle,* et non le tien. Heureusement, d'ailleurs, il existe d'autres moyens que le coït que ta femme et toi pouvez utiliser pour lui permettre d'atteindre sa jouissance sexuelle.

Il n'est pas certain qu'un vagin fasse une énorme différence entre un pénis et autre chose, comme des légions de femmes ayant des préférences homosexuelles l'ont démontré depuis des siècles!

Ivan résolut de confronter ses idées. Je continuai à l'encourager à occuper son esprit à des pensées érotiques, quel que soit leur contenu, pendant qu'il avait des rapports avec son épouse, de penser à Brigitte Bardot ou à Sophia Loren ou de s'imaginer être le roi Salomon avec ses six cents concubines, si ces pensées pouvaient lui procurer des réactions physiologiques appropriées.

Au bout de peu de temps, son esprit se retrouva occupé par des fantaisies, fort érotiques apparemment, dont il ne crut pas bon de me faire part, mais qui lui apportèrent des orgasmes très respectables. Cette relaxation fut obtenue grâce à un travail acharné d'éradication de ses pensées angoissantes. Celles-ci disparues, sa crainte d'être impuissant disparut aussi. Maintenant qu'il ne considérait plus ses érections comme des *nécessités* et des *besoins,* elles lui revinrent régulièrement, pour contribuer au charme de sa vie conjugale.

Chapitre XII
Jean et Jeanne, ou la peur d'être homosexuel

Celui qui venait d'entrer dans mon bureau m'apparaissait comme un jeune homme d'une vingtaine d'années, grand, mince, avec des cheveux blonds qui lui recouvraient la nuque. Vêtu d'un jean et d'une chemise au col ouvert, il ressemblait à des milliers de garçons de son âge. Il avait lu *S'aider soi-même,* me dit-il, et cela lui avait donné le goût de me rencontrer et l'espoir que je puisse lui être de quelque secours.

Sans plus tarder, il me déclara qu'il était terrifié par l'idée qu'il pouvait être homosexuel. Il se sentait attiré par des hommes vigoureux et beaux, et éprouvait de la gêne et du malaise en présence des jeunes filles. Quoiqu'il n'eut jamais exercé directement sa sexualité ni avec un homme ni avec une femme et se fut confiné jusqu'alors à la pratique de la masturbation, il était hanté par la pensée qu'il *était* un homosexuel et qu'il *était* pour toujours fixé dans cet état. Sans qu'il s'en soit rendu compte, sa terreur témoignait qu'il partageait, tout en voulant s'en défendre, les préjugés de notre société à l'égard de ceux et de celles qui exercent de préférence leur sexualité avec les personnes de leur sexe.

Car, bien sûr, pour monsieur-tout-le-monde, les "homosexuels" sont des malades, peut-être physiques et, en tout cas, psychologiques, des détraqués qui ne sont peut-être pas responsables de leur état, mais qui tout de même sont des "anormaux". Jean pensait exactement la même chose et on comprendra facilement qu'il ait ressenti beaucoup d'anxiété à l'idée de se retrouver agrégé au groupe de ceux que, secrètement, il méprisait.

Un premier travail de déblaiement consista pour moi à faire comprendre à Jean que *les homosexuels n'existent pas*. La première fois que j'énonçai cette phrase, il me regarda d'un air qui en disait long sur l'opinion qu'il se formait de mes capacités mentales. Vous qui me lisez êtes peut-être en train de faire la même chose! Et pourtant, les homosexuels n'existent pas plus que les médecins, les ingénieurs, les pilotes d'avion, les athlètes olympiques ou les hétérosexuels. Tout ce qui existe *en réalité,* ce sont des *êtres humains* qui préfèrent les contacts homosexuels, qui bâtissent des ponts et des routes, qui pilotent des avions, qui lèvent des poids ou pratiquent la course d'endurance, qui préfèrent les contacts sexuels avec les membres du sexe opposé. Ces mêmes personnes ne consacrent qu'un temps restreint à de telles activités, et passent le reste de leur temps qui à étudier, qui à travailler, qui à manger, qui à dormir, qui à fréquenter les salles de concert. Et si l'on veut m'objecter qu'on désigne, pour plus de commodité, une personne par une de ses caractéristiques principales, je répondrai alors qu'il vaudrait mieux appeler tout le monde *dormeur,* puisque nous passons presque le tiers de notre vie à dormir! Et si l'on me dit que je raisonne comme une cloche, je répondrai que je ne vois pas qu'il soit plus absurde d'appeler quelqu'un dormeur que de l'appeler psychologue: dans les deux cas il s'agit d'activités que la personne exerce pendant une *partie* de sa vie.

Ces étiquettes, dont nous avons déjà parlé, ne nous causeraient pas beaucoup de tracas si nous nous rappelions toujours soigneusement qu'elles constituent un abus de langage et qu'elles sont une manière impropre de désigner un individu. L'ennui, c'est qu'à force de les répéter et de se les entendre répéter, la plupart d'entre nous finissons par croire qu'elles identifient une composante stable de la personnalité, un élément inaltérable, constitutif de la personne. On en arrivera ainsi à affubler du même titre, et donc à confondre, des personnes extrêmement différentes. Si on appelle *criminel* toute personne qui a commis un crime, il est important de se rendre compte qu'on met ainsi dans le même sac le jeune type qui a volé une voiture un soir d'ivresse et le professionnel de la mafia. A cause de cette confusion, on sera porté à les traiter tous deux de la même manière, ce qui est aussi illogique que de réserver le même traitement culinaire aux radis qu'aux navets sous prétexte que ce sont tous deux des légumes! L'être humain le moins éclairé sait qu'on mange les radis crus alors qu'il faut faire cuire les navets, mais ce même individu, qui distingue si habilement les légumes, ne répugne pas à traiter indistinctement d'imbéciles tous ceux qui lui déplaisent et de tarés tous ceux qui ne vivent pas comme lui. On trouverait à cette considération d'amples occasions de désespoir!

Dans le cas de Jean, il me semblait très important qu'il saisisse clairement cette distinction entre la personne et ses actes, puisque une bonne part de son appréhension me semblait reposer justement sur le fait qu'il se voyait irrémédiablement fixé dans cet état. Ce qu'un être humain *est* ne saurait être changé, alors que tout ce qu'il *fait,* s'il s'applique à le changer, peut être modifié après plus ou moins d'efforts. Si Jean croyait qu'il *était* "homosexuel", il serait fatalement porté à agir comme un "homosexuel", en accomplissement de cette définition et de cette image de lui-même. Ce faisant, il s'ancrerait encore davantage dans des habitudes et des modes de vie qu'il semblait vouloir éviter.

Il n'était pas question pour moi de tenter de démontrer à Jean que ses comportements et ses désirs homosexuels étaient maladifs ou immoraux, puisque je ne crois rien de tout cela. Je crois, pour l'avoir constaté de nombreuses fois et à la suite d'observations effectuées par de nombreux chercheurs sur le comportement humain, que notre sexualité est essentiellement polymorphe et que ses objets sont extrêmement variés. Le choix de tel ou tel objet sexuel ne semble dépendre ni de l'hérédité, ni de composantes physiques, mais plutôt des influences de l'environnement et des expériences psychologiques de la personne. Qu'il y ait des "névrosés" parmi les "homosexuels", rien de plus évident, mais remarquons qu'ils ne semblent pas plus nombreux que parmi les "hétérosexuels".

La seconde étape de mon travail avec Jean consista donc à tenter de l'amener à arracher de son esprit les préjugés qu'il entretenait vis-à-vis de la forme de sexualité homosexuelle et de ceux qui la pratiquent. Que ces personnes constituent une minorité dans notre société (environ deux pour cent d'*hommes* s'adonnent *exclusivement* à des actes homosexuels, et un nombre encore certainement plus grand s'y appliquent de façon occasionnelle) ne suffit pas à les classer comme anormaux, si ce n'est au plan statistique, dans le même sens qu'un Africain vivant en Suède est un anormal.

Il est clair que la procréation des enfants n'est rendue possible que par le contact sexuel entre partenaires masculins et féminins. Mais déclarer que toute forme d'expression sexuelle qui n'est pas orientée vers la procréation des enfants est illicite et condamnable m'apparaît une exagération. Nous retrouverons ici la mentalité qui consiste à condamner le plaisir sexuel s'il n'est pas justifié par la procréation, dont j'ai parlé au chapitre 10. Les tenants de cette opinion soutiennent que le Créateur a joint le plaisir à l'activité érotique pour permettre la perpétuation de l'humanité et qu'entraver la fonction procréatrice pour s'attarder au seul plaisir de l'acte constitue une aberration. Ces mêmes moralistes oublient cependant que la nature a fait en sorte que seuls de rares contacts sexuels entre humains soient féconds (heureusement!) et on ne voit pas comment ils peuvent reconnaître comme licites des contacts sexuels entre des personnes stériles ou trop âgées pour pouvoir encore procréer. Si le contact sexuel entre deux hommes ou deux femmes est condamné parce qu'il ne peut amener la vie, il faut alors, si l'on veut être un peu logique, condamner aussi les gestes d'amour des vieux époux et ceux d'un mari avec sa femme ayant subi l'hystérectomie. Si les plaisirs sexuels inutiles sont interdits, il faut aussi déclarer illicites les autres plaisirs sensuels qui n'ont aucune utilité pratique. Plus d'alcool, plus de vin, plus même de Coca-Cola, puisqu'il est évident qu'un être humain peut parfaitement vivre une vie équilibrée et pleinement humaine en ne buvant que de l'eau. Supprimons l'entrecôte, les oeuvres de Bach ou celles d'Elton John, les promenades en bateau, l'odeur du muguet et les couchers de soleil multicolores puisque tous ces plaisirs sont superflus! Si éjaculer sa semence là où jamais un enfant ne naîtra est un crime contre nature, comment justifiera-t-on le crachat, puisque celui-ci consiste à rejeter du corps et à détruire les sécrétions d'une glande qui sont utiles pour favoriser la digestion des aliments? La petite pompe que les dentistes installent dans la bouche de leurs patients pour aspirer la salive constitue donc un instrument de masturbation buccale! Et que dire des crachoirs de nos grands-pères?

Quoique l'exercice d'une sexualité de type homosexuel ne constitue ni une maladie, ni une aberration, ni un crime contre nature, mais bien une habitude de comportement exprimant une préférence qui peut être plus ou moins exclusive, il est cependant facile de constater que cet exercice est encore soumis dans notre société à des vexations de tout genre. Beaucoup de pays ne classent plus ce comportement parmi les infractions au code pénal, s'il est pratiqué entre adultes pleinement consentants, mais il en est beaucoup qui l'interdisent encore, même s'il est pratiqué en privé.

Cependant, même dans ces pays où l'homosexualité a été "légalisée" (comme la guerre!), les "homosexuels" sont encore souvent l'objet de la réprobation des "hétérosexuels" et pénalisés de diverses manières notamment dans le domaine du travail. Verrait-on un candidat à la présidence des Etats-Unis faire état publiquement de ses contacts homosexuels? Et sans aller si loin, essayez donc de vous déclarer "homosexuel" si vous êtes policier!

Pour cette raison, il peut être *opportun* pour un jeune homme de choisir un type d'activité sexuelle qui ne viendra pas entraver, par les préjugés qu'il éveille encore, l'atteinte pour lui d'objectifs désirables. La situation ne serait pas la même si nous vivions au siècle de Périclès! Il faut bien reconnaître que, dans notre monde, il y a parfois plus d'inconvénients pratiques à préférer les contacts homosexuels que les autres.

Quant à l'homosexualité féminine, elle semble comporter moins d'inconvénients et être plus facilement tolérée que sa contrepartie masculine. Que deux femmes partagent le même appartement ne fera pas sourciller autant de personnes que si deux hommes le partagent. Que deux femmes déambulent bras dessus, bras dessous, et nul ne se retournera, mais deux hommes!...Je ne veux pas m'attarder sur les causes culturelles de cette contradiction, mais elles semblent reliées au préjugé qui fait des femmes des êtres faiblement sexués et à celui qui identifie les marques physiques d'affection à la tendresse chez la femme et à la sexualité chez l'homme.

Quant à Jean, une fois délivré de son anxiété et de sa peur d'*être* homosexuel, il décida, malgré les inconvénients pratiques de ce choix, d'exercer sa sexualité primordialement avec des hommes. Il n'était ni malade, ni névrosé, du moins de façon notable, et c'est très amicalement que nous avons interrompu nos rencontres devenues sans objet.

Chapitre XIII
Karl, ou la peur de la solitude

"Tout le mal vient de ce qu'on ne peut demeurer seul en repos dans une chambre", disait Pascal et, s'il m'est permis de corriger légèrement cette sentence, tout le mal vient de ce que beaucoup de gens considèrent cette solitude comme une souffrance intolérable, un mal à éviter par tous les moyens.

De nombreux individus sont d'ennuyeux compagnons pour eux-mêmes, se lassent vite de leur propre compagnie et trouvent peu de charmes à leur propre conversation. Rien d'étonnant dès lors qu'ils tentent de s'éviter le plus possible eux-mêmes et recherchent avec anxiété la compagnie des autres. Combien de mariages ou de vies à deux ont été ainsi édifiés sur une même crainte de la solitude. Combien de personnes voient ainsi venir la vieillesse avec terreur parce que, plus que la maladie ou la pauvreté, elles redoutent la solitude.

On a beau répéter que l'homme est un animal social, qui arrive difficilement à vivre sans la compagnie de ses semblables, la crainte de la solitude prend tout de même des proportions souvent absurdes et amène ceux qui en souffrent à des excès regrettables. Faute de s'accommoder de rester seuls pendant des mois ou même des années, des hommes et des femmes supportent chaque jour la présence souvent pénible d'autres personnes qu'ils détestent, des vies entières se passent, partagées entre la peur et l'hostilité, des êtres humains se privent d'expériences qui auraient pu les enrichir, mais qu'ils évitent parce qu'elles les auraient amenés à vivre seuls.

Prenons le cas de Karl. Agé de trente-cinq ans, sa peur de la solitude l'avait amené successivement, au cours des quinze années écoulées depuis qu'il avait quitté le domicile familial, à partager un appartement pendant ses études avec un garçon d'abord, puis avec trois jeunes filles différentes, avec chacune desquelles il avait passé quelques mois. On pourrait croire que c'était par économie, mais il n'en était rien puisqu'il disposait de revenus amplement suffisants pour lui permettre de se tirer d'affaire confortablement. Un été, une jeune fille avec laquelle il vivait à cette époque décida d'aller travailler dans une région éloignée du pays. Karl, qui par ailleurs avait réussi à décrocher un emploi fort lucratif sur place, ne put résister à la peur de se retrouver seul pendant quatre mois et abandonna son emploi pour la suivre, quoiqu'il fut certain de ne pas trouver de travail dans cette partie du pays. Avant la fin de ses études, Karl s'était marié avec une jeune femme qu'il aimait à la folie et dont il ne pouvait, disait-il, se passer.

Après les premières semaines, le jeune couple commença à connaître des dissensions. Karl ne supportait pas que Catherine fasse la moindre chose sans lui. Il exigea qu'elle quitte son emploi, parce qu'il s'ennuyait tout seul à la maison pendant qu'il préparait ses examens d'admission au Barreau. Elle eut la faiblesse de consentir à cette exigence mais, frustrée et mécontente, lui fit payer le charme de sa présence par des bouderies, des colères, de l'aigreur. Sortait-elle pour faire des emplettes, Karl l'accompagnait. Prétendait-elle visiter des amies, Karl voulait à tout prix la suivre ou lui suggérait de les recevoir à la maison. Il lui fit une scène quand elle prétendit se joindre à une équipe de volleyball au centre sportif de l'endroit. Il épiait ses téléphones et devenait malade de jalousie s'il lui semblait qu'elle parlait à un homme. Même les frères de son épouse étaient suspects à ses yeux. Il répétait à qui voulait l'entendre qu'il ne saurait vivre sans Catherine, qu'elle était la lumière de sa vie, qu'il l'aimait toujours à la folie.

Catherine supporta ce régime totalitaire pendant deux années, ponctuées de disputes et de réconciliations larmoyantes. Un jour, pendant que Karl était à l'université, elle fit ses bagages et déguerpit en laissant une note où elle lui écrivait qu'elle n'en pouvait plus de vivre une vie cloîtrée et que ce que Karl appelait leur petit nid d'amour était devenu, à ses yeux, un cachot. Quelques semaines après, elle entamait des procédures de divorce. Karl était effondré. Il rata son examen du Barreau et se mit à boire. Incapable de supporter d'être rejeté et de se retrouver seul, il suppliait Catherine de revenir, promettant de s'amender, de lui laisser la liberté qu'elle désirait et de cesser de la suivre partout. Catherine n'était pas intéressée, d'autant plus qu'elle avait commencé à vivre avec un autre garçon qu'elle épousa par la suite. Voilà Karl acculé à ce qu'il redoutait le plus: la solitude. Il en fit une dépression, dut être hospitalisé et menaça de se suicider. A l'hôpital, il rencontra une infirmière compatissante qui, sans se douter de ce qui l'attendait, se noua d'amitié avec lui.

Comme vous pouvez vous en douter, il se produisit avec Claire la même chose qu'avec Catherine, avec cette différence que Claire étant d'un naturel moins autonome que Catherine s'accommoda pendant plus longtemps du régime que Karl, avec sa peur de la solitude, lui imposait. Tout alla assez bien pendant les premières années de leur vie commune. Karl finit par être admis au Barreau et commença à travailler. Comme son travail l'amenait à être souvent absent le soir et qu'ils n'avaient pas d'enfants, Claire commença à trouver le temps long elle aussi. Elle songea à reprendre son emploi: Karl s'y opposa avec énergie. La petite guerre recommença. Karl invitait des relations d'affaires à la maison, mais Claire se déclarait alors malade, fiévreuse, accablée de migraines. Karl voulait la convaincre d'apprendre à jouer au golf avec lui, mais Claire déclarait ne ressentir que dégoût pour ce sport et trouver ridicule de poursuivre avec tant d'ardeur une petite balle à travers la nature. De nouveau, le petit nid d'amour se transformait en guêpier.

C'est à cette époque que je rencontrai Karl, venu me consulter sur la recommandation d'un collègue de travail que j'avais aidé à se défaire de sa peur d'être impuissant. Ce fut d'ailleurs le prétexte qui amena notre rencontre car, comme vous pouvez facilement l'imaginer, il n'est pas facile de réussir des contacts sexuels satisfaisants quand on est hanté par la peur de voir sa partenaire s'en aller.

Ce qui était le plus frappant, c'est que Karl, un homme fort intelligent et cultivé, connaissant beaucoup de succès sur le plan professionnel, ne se rendait pas du tout compte des causes de son mal. Ce fait m'amène encore une fois à vous faire remarquer que l'intelligence et le bon sens ne se confondent pas, et qu'on peut posséder trois doctorats et quand même croire des fadaises infantiles.

De telles sottises ne manquaient pas dans l'esprit de Karl, entre autres la certitude qu'il ne saurait être heureux sans la présence constante et attentive de Claire et que tout moment passé seul sans sa compagnie ou celle d'autres personnes était une catastrophe qu'il ne saurait supporter.

Nous entreprîmes ensemble de dresser une espèce de liste des idées les plus chères de Karl et je l'engageai à commencer à les confronter systématiquement. Sa réaction initiale fut la résistance, comme c'est souvent le cas, tant est répandue la croyance qu'un thérapeute doit se contenter d'écouter attentivement ses consultants, de reformuler leurs émotions et de sympathiser à leurs malheurs. Pour ma part, je me propose, compte tenu de l'investissement financier que représente une thérapie pour le consultant, de lui offrir autre chose que l'attention, l'amitié et la compassion qu'il peut obtenir gratuitement de la part de ses amis. Je prétends lui transmettre les connaissances et les techniques qui lui permettront de s'aider lui-même à régler ses conflits.

Karl niait vigoureusement avoir peur de la solitude, mais son histoire antérieure donnait à penser qu'il en était tout autrement. Comme la plupart d'entre nous, il avait appris à *fuir* l'objet de sa peur et il s'était ainsi arrangé pour ne pas la ressentir. Son anxiété ne se manifestait que quand il était seul ou qu'il envisageait comme probable la solitude. Non que cette solitude, comme nous le savons, ait été la *cause* de sa peur. Cette cause résidait bien dans ses pensées qui faisaient une catastrophe de la solitude, mais ces pensées n'occupaient pas *toujours* son esprit. Au lieu de s'attaquer à la source de son anxiété, Karl avait choisi, par ignorance, de fuir la solitude, ce qui n'avait, bien sûr, rien réglé et avait même aggravé le problème puisque ses efforts n'avaient porté que sur *l'occasion* de sa crainte et non sur ses *causes*.

Je m'acharnai à lui démontrer que sa conception de la solitude même passagère comme une chose terrible et intolérable était profondément fausse. Les exemples ne manquent pas dans l'histoire de l'humanité de gens qui ont vécu pendant des années dans la solitude sans s'en trouver plus mal et même, au contraire, en menant des vies épanouies et constructives. Karl se considérait secrètement comme un être faible et démuni, incapable de se suffire à lui-même et ayant un besoin impérieux de la chaude présence d'un être aimant. Il avait, sous plus d'un aspect et malgré ses succès professionnels et intellectuels, conservé les réactions émotives et les pensées d'un petit enfant que l'absence de sa mère plonge dans le désarroi. Physiquement et intellectuellement, c'était un adulte, mais il *agissait* et *pensait* souvent comme un enfant.

Notez bien que j'évite soigneusement de dire qu'il *était resté un enfant* émotivement, comme beaucoup de gens le diraient. J'évite ce genre de description parce qu'elle ne correspond pas au réel et suppose qu'il faut être un enfant pour agir comme un enfant, alors qu'il n'en est rien et qu'il est tout à fait possible *d'agir* comme un enfant sans en *être* un. Il n'est pas opportun, même si on se propose d'aider quelqu'un, de meubler son esprit d'idées différentes de celles qui l'empoisonnent, si elles sont aussi fausses que les premières. Je n'ai donc pas beaucoup de sympathie pour ces approches thérapeutiques qui décrivent l'être humain comme composé de parent, d'enfant et d'adulte et je trouve au moins inexactes des phrases comme: "Mon parent répond à ton enfant... Quand tu agis comme tu le fais, c'est ton enfant qui agit... Ton adulte doit se développer..."

On me dira qu'il faut faire la part des choses et se rendre compte que ces expressions ne sont que des essais pour décrire ce qui se passe et que tout le monde voit tout de suite qu'il ne faut pas les prendre au pied de la lettre. Pour ma part, je suis payé pour savoir que, trop souvent, de telles expressions imprécises sont en fait interprétées dans un sens étroit et littéral et qu'elles sont transformées par la personne en moyens de défense destinés à justifier son attachement à des comportements et des croyances illogiques. J'ai entendu assez de gens se plaindre d'avoir un "surmoi" trop fort ou un "moi" trop faible, pour ne pas en arriver à conclure qu'ils croient vraiment que ces choses ont une existence véritable, qu'il existe des "complexes d'infériorité" ou des "complexes de castration" qui s'abattent sur un malheureux comme la syphilis! Mieux vaut, me semble-t-il, s'en tenir à la description la plus exacte et la plus terre-à-terre des comportements et des pensées, sans inventer des instances mythiques, des "construits" peut-être commodes pour des spécialistes, mais qui ne font que compliquer la compréhension des phénomènes psychologiques.

Quant à Karl, son travail de confrontation produisit ses fruits à la longue. Nous ne nous rencontrions que rarement, surtout après les premiers mois, parce qu'il travaillait fort bien seul et avait assez rapidement appris à confronter correctement ses idées. Il passa quelques mois en thérapie de groupe, ce qui lui permit de constater qu'il n'était pas le seul à abriter dans son esprit des pensées malsaines; il s'exerça aussi à confronter dans le groupe les idées non réalistes des autres participants, ce qui constitua pour lui un excellent entraînement à confronter les siennes. Le style de ses rapports avec Claire se modifia considérablement à mesure que s'estompaient ses idées fausses et que des idées plus réalistes occupaient la place laissée vacante par les premières. Aux dernières nouvelles, il se déclare heureux et délivré de la crainte d'être seul, consentant sans difficulté à laisser Claire vivre à sa manière, continuant à *préférer* sa présence mais ne faisant plus de drame s'il lui arrive parfois d'être seul. Ajoutons qu'il semble bien que Claire, pour sa part, aime de plus en plus sa compagnie, depuis qu'il *n'exige* plus la sienne.

Chapitre XIV
Louise, ou la peur de mener une vie terne

"Toujours plus haut" aurait pu être la devise de Louise. Cette jeune femme de vingt-six ans se plaignait d'agitations et d'insomnies; elle avait perdu vingt-cinq livres depuis les six derniers mois et n'en pesait plus que soixante-quinze. Son histoire familiale, qu'elle me livra fragments par fragments, était révélatrice.

Son père avait été un homme politique, d'abord maire de sa petite ville, puis député du comté à l'Assemblée nationale, enfin ministre sous deux gouvernements successifs. C'était ce qu'on appelle un "homme de devoir", austère et peu souriant, répétant à ses enfants que la vie ne vaut la peine d'être vécue que si elle est consacrée à l'amélioration du sort de l'humanité.

La mère de Louise partageait, à sa façon, les idéaux élevés de son mari, mais plutôt sur le plan religieux. Très pieuse, sans pour autant verser dans la bondieuserie, elle avait, pour sa part, inculqué à l'enfant non seulement le *goût* du beau et du transcendant, mais encore une espèce de fanatisme éthéré, dans lequel la petite avait baigné pendant toute son enfance. Un de ses frères était devenu un médecin relativement célèbre, un autre frère s'était fait Père

Blanc et travaillait dans des conditions pénibles dans un pays en voie de développement. Sa soeur aînée était entrée au Carmel et sa cadette, à 22 ans, était une dirigeante nationale d'une association de jeunes intellectuels.

Louise avait d'abord voulu suivre les traces de sa soeur aînée au Carmel mais, disait-elle, sa santé précaire l'avait empêchée de mener ce projet à bien. Un peu déboussolée après six mois de vie cloîtrée, elle avait d'abord demeuré chez ses parents pendant un an, aidant sa mère, puis avait accepté un emploi de secrétaire dans un milieu universitaire. Consciencieuse et fidèle au travail, en même temps que bien douée sur le plan intellectuel, elle était devenue en peu de temps la secrétaire particulière du doyen de la faculté des sciences sociales.

Louise rêvait beaucoup, endormie bien sûr, mais surtout éveillée. Ses fantaisies étaient peuplées de scènes glorieuses où elle se voyait donnant sa vie pour sauver des malheureux, soignant avec compassion des lépreux couverts de plaies répugnantes, dédaignant richesses et honneurs pour se consacrer à des tâches héroïques.

Il devint bientôt clair pour moi qu'elle était poursuivie par la terreur de mener une vie terne et obscure, sans signification et sans utilité sociale, de s'enfermer dans une routine anonyme, et qu'elle croyait fermement ne jamais être heureuse à moins de poser des gestes de courage insigne et de sauver ainsi l'honneur familial, compromis par son obscurité. Les Tremblay *devaient* vivre des existences dépassant celle de la moyenne des gens; ils *devaient* exceller en dévouement, en science, en générosité, en altruisme et s'élever ainsi au-dessus de la masse de leur concitoyens embourbés dans la médiocrité et le quotidien. Le culte de la blancheur et la passion des sommets!

Comme on peut le constater encore une fois, les pensées non réalistes ne sont souvent que des pensées raisonnables et réalistes poussées à l'extrême. Comme la pensée qu'il est nécessaire et indispensable d'être aimé constitue une exagération du *désir* normal d'être aimé, comme le goût du succès peut se transformer en *exigence* du succès, ainsi, pour Louise, le désir sain de mener une vie socialement utile s'était-il transformé, à la faveur de l'atmosphère familiale, en une impérieuse exigence de vie parfaite, entraînant dans son sillage la peur et l'anxiété de ne pas satisfaire à cet idéal. Louise se prenait terriblement au sérieux, comme apparemment tous les Tremblay, pour lesquels c'eut été un sacrilège que de souligner méchamment qu'ils se prenaient pour d'autres!

Entre-temps, Louise dépérissait, rongée par son anxiété, à laquelle ses rêveries lui permettaient de moins en moins efficacement d'échapper.

Il ne fut pas facile d'amener Louise à confronter ses idées exagérées. Quand je les attaquais, elle avait l'impression que je m'en prenais à l'ensemble de sa pensée alors que, en fait, mon intention n'était d'en dénoncer que l'exagération. Elle m'accusait ainsi de lui recommander de laisser de côté ses idées nobles et altruistes pour se rabattre sur une vie bassement utilitaire, alors que je ne voulais que lui démontrer qu'elle pourrait fort bien conserver ses idées tout en se gardant bien d'en faire des *absolus*. Rien n'empêchait que cette jeune femme consacre son existence à rendre les autres heureux; c'est même souvent un excellent moyen de se rendre soi-même vraiment heureux. Mais ce qui est malsain et stupide, c'est de croire que parce qu'une chose est bonne et utile, on *doit* la faire et qu'on est indigne de vivre si on n'y consacre pas tous ses efforts. On retrouve ici la confusion entre le bon et l'obligatoire, l'utile et le nécessaire, l'opportun et l'indispensable. Cette regrettable confusion constituait, en bonne part, la source de l'anxiété qu'éprouvait Louise.

Une deuxième source se trouvait dans l'idée plus générale que la vie d'un être humain a besoin d'être justifiée. Certains êtres humains recherchent tellement ardemment le sens de leur vie qu'ils finissent par perdre de vue que la vie n'a pas de sens en elle-même et qu'il revient à chacun de nous de lui en donner un si nous le désirons. A la question: "Pourquoi suis-je là, au monde, plutôt que de ne pas y être?" l'homme a cherché au cours des siècles à apporter une réponse. Il s'est donné des justifications religieuses, politiques, sociales ou économiques, mais la vérité, quelque humiliante qu'elle puisse nous paraître, est que nous n'en *savons* rien. D'ailleurs, cette question ne revêt pas beaucoup d'importance pratique pour la plupart des humains. Que l'homme ait été créé pour glorifier le Créateur ou qu'il soit le fruit de l'évolution aveugle, qu'est-ce que cela change concrètement? Dans un cas comme dans l'autre, il lui sera opportun d'organiser intelligemment sa vie et son environnement pour passer le plus commodément possible les quelques années de son séjour sur terre. Dans ce but, il lui sera souvent utile de s'engager à fond dans des projets altruistes destinés à améliorer le sort de ses congénères et donc, par ricochet, le sien propre.

Mais alors, que faire du "besoin" de comprendre, que l'on dit être fondamental chez l'humain? Je nierai d'abord qu'il s'agisse d'un besoin, en ce sens que l'absence de sa satisfaction n'entraîne par elle-même aucun déficit pour un être humain. Que bien des humains cherchent à comprendre le sens de leur vie et inventent toutes sortes d'explications plus ou moins plausibles pour satisfaire ce *goût,* j'en suis évidemment conscient. Je suis également conscient qu'en cherchant ainsi à expliquer son existence, l'homme est souvent arrivé à des explications qui rivalisent de sottise, de cruauté et d'invraisemblance. D'autres réponses apparaissent plus raisonnables et on se prend à souhaiter qu'elles soient exactes, mais aucune d'elles n'a jamais été vérifiée. On a reproché, avec justesse je crois, aux chrétiens de passer leur vie à attendre passivement un paradis éternel, tout en laissant à d'autres les tâches souvent ingrates d'organisation de la planète, organisation dont ils bénéficient ensuite après l'avoir condamnée. Ils font penser à ces enfants qui se laissent porter sur le carrousel pendant que d'autres poussent! Cette manie de beaucoup de chrétiens de condamner d'abord, d'admirer ensuite et enfin de baptiser (on bénissait même des automobiles, pensez-y!) finit par avoir quelque chose d'un peu agaçant!

Que chacun donne donc à sa vie le sens qu'il voudra, ou qu'il ne lui en donne pas d'autre que de vivre! Nous aurons peut-être moins de guerres, y compris de guerres de religion, si chacun se préoccupe d'organiser le mieux possible ce monde qui est le nôtre, sans passer son temps en rêveries métaphysiques et sans tenter d'imposer aux autres, bien souvent par les armes, les élucubrations de son esprit. Il y a quelques centaines d'années, on aurait brûlé au bûcher ce livre et son auteur et, pour ma part, je suis fort heureux que l'humanité ait assez progressé pour désormais se passer, au moins dans certains pays, d'arguments de ce genre.

Pour ce qui est de Louise, il est heureux que la raison ait fini par l'emporter chez elle sur les rêves de gloire. Elle finit par consentir à goûter les humbles plaisirs qui se trouvent à la portée de chacun. Cela ne l'empêcha pas de rester activement impliquée dans de nombreuses activités très constructives. Elle y fut d'autant plus efficace qu'elle était débarrassée de l'anxiété de vivre une vie remarquable et qu'elle s'adonnait à ces activités non parce qu'elle le devait pour mériter on ne sait quelle approbation supraterrestre, mais bien parce qu'elle aimait ce genre d'engagement et en percevait l'utilité et la cohérence pour son propre bonheur.

Chapitre XV
Marcel, ou la peur de manquer
à ses engagements

Beaucoup de gens croient qu'il *faut* respecter les engagements déjà pris et que c'est une honte et une déchéance que de reviser certaines décisions passées. Pour éviter la culpabilité qui les assaille quand ils sont tentés d'abandonner un état de vie ou de résilier un accord antérieur, ils se livrent à des acrobaties de rationalisation, tentant par exemple de se convaincre que la décision qu'ils veulent reviser a été originellement prise sans connaissance suffisante de cause ou qu'ils sont devenus absolument incapables d'en respecter les clauses et qu'ils en sont donc automatiquement excusés.

Ces dernières années ont vu un grand nombre de membres du clergé catholique et des communautés religieuses, tant masculins que féminins, quitter les rangs de ces organismes après des périodes plus ou moins longues. Mon travail m'a amené à entrer en contact intime avec environ une centaine de ces personnes, et c'est à partir de cette expérience que j'écris le présent chapitre. Notons au départ que si je vais parler surtout des revisions de décisions concernant l'état ecclésiastique, les réflexions que je m'apprête à formuler s'appliquent aussi directement aux situations matrimoniales. Dans un cas comme dans l'autre, on assiste aux mêmes manoeuvres destinées à masquer la même anxiété, celle de manquer à des engagements antérieurs. La religieuse qui a peur d'être infidèle à sa "vocation" ressent la même anxiété que le mari qui est tenté de divorcer.

Marcel était un prêtre d'une cinquantaine d'années, membre d'une communauté religieuse. Comme beaucoup d'ecclésiastiques de sa génération, il était entré au noviciat de sa congrégation vers la vingtaine, après avoir fréquenté le petit séminaire de sa ville. On se souviendra que ces petits séminaires n'étaient pas exactement des citadelles de la largeur d'esprit et de la liberté de pensée. Il y régnait le plus souvent une atmosphère assez étouffante; on y étudiait les lettres anciennes et une sélection sagement épurée d'auteurs français jugés sans danger, sous l'oeil vigilant de maîtres soupçonneux, jaloux de garder la pureté des moeurs et de l'esprit de leurs disciples.

Après ses études collégiales, Marcel entra donc au noviciat et je ne m'attarderai pas à décrire ici le style de vie qu'on tenta de lui imposer, si ce n'est qu'il constituait un rétrécissement encore beaucoup plus marqué de celui du séminaire. Après une formation sans anicroche, Marcel fut ordonné prêtre, à la joie de ses parents et avec l'admiration de tous. Comme il manifestait du goût et du talent pour l'étude de la théologie, on l'envoya étudier à Rome. Il y retrouva un climat encore plus étouffant que celui qu'il avait connu avant son ordination, mais il s'en accommoda assez bien, absorbé qu'il était par les subtiles discussions de ses maîtres. Il demeura étranger aux sortilèges langoureux de Rome et de ses vieilles ruelles ou au charme de la campagne romaine, pour repaître son esprit de la gloire des dorures vaticanes.

A trente ans, la tête remplie et le coeur endormi, il revint dans son pays d'où, peu de temps après, on l'expédia en mission en Amérique Latine, professer la théologie dans un séminaire dirigé par sa congrégation.

C'est là que Marcel commença à découvrir qu'il existait d'autres charmes dans la vie que ceux des discussions scolastiques. La femme, cet être qu'il ne connaissait que par sa mère et ses soeurs et à travers les traités théologiques sur la Vierge Marie, lui apparut sous les traits des riantes indigènes du pays; sa sexualité, qui ne s'était manifestée jusqu'à ce temps que sous la forme de furtives et mélancoliques masturbations, se réveilla avec énergie.

Je vous fais grâce des méandres d'anxiété et de culpabilité que connut Marcel pendant les années qui suivirent. Après quinze ans, on le rapatria et il se retrouva aux prises avec les mêmes angoisses, tenaillé par la peur d'être "infidèle à sa vocation". Il retrouva alors une femme qu'il avait brièvement connue quand ils étaient tous deux adolescents. Elle non plus ne s'était pas mariée.

Quand je rencontrai Marcel, il traînait sa vie comme un boulet, s'ennuyait et dépérissait à vue d'oeil. Comme beaucoup de religieux que j'ai rencontrés dans de semblables circonstances, il cherchait des raisons "valables" de quitter le sacerdoce et de se marier avec Héloïse. Il ne voulait pas quitter les ordres "juste pour se marier", expression qui en dit long sur la conception du mariage qu'on avait dans les milieux ecclésiastiques. Il tenta donc de me prouver et de se prouver à lui-même qu'il avait décidé de se faire prêtre sous l'influence de sa famille et que son consentement n'avait jamais été entier. Je refusai fermement d'admettre la valeur de tels arguments, qui ne sont valables, à mon avis, que dans de très rares cas passés où l'on a pu faire la démonstration qu'une jeune fille ou un jeune homme avaient été forcés d'entrer au couvent sous les menaces de leur famille et celles du pouvoir civil ou ecclésiastique, comme c'est le cas, par exemple, pour la religieuse dont Diderot a narré la vie. Sans doute Marcel avait-il été influencé par la haute valeur accordée par sa famille et son milieu à l'état sacerdotal et religieux, mais il n'en demeurait pas moins que c'était de son plein gré qu'il était entré dans la vie religieuse et avait continué d'y persévérer pendant de longues années. Sans doute ne connaissait-il pas tout de la vie à vingt ans, mais il ne différait pas en cela de milliers d'autres jeunes hommes de sa génération. Et même s'il s'était trompé à cette époque, faute d'information et d'expérience suffisantes, il n'en restait pas moins qu'il lui était possible de ratifier plus tard son choix initial et de décider alors de demeurer dans un état qu'il avait d'abord embrassé sans connaissance vraie de ce qui l'attendait.

Marcel tenta ensuite de se convaincre et de me démontrer qu'il ne *pouvait* plus demeurer prêtre et religieux, qu'il ne *pouvait* plus continuer à mener cette vie, qu'il lui était *impossible* d'y être heureux. Il eut encore moins de succès avec ce raisonnement qu'avec le précédent, puisqu'il attribuait son malheur et son anxiété à des choses et des gens extérieurs à lui et que je sais fort bien que les choses et les gens sont bien incapables de nous rendre malheureux et que nous produisons nous-mêmes la plus grande partie de nos malheurs par notre propre pensée.

Dans sa recherche de raisons "valables" pour quitter le sacerdoce et la vie religieuse, Marcel avait épuisé toutes les avenues. S'il admettait qu'il n'avait pas fait d'erreur irréparable en s'engageant dans cette voie et s'il concédait que c'était lui-même et non la vie religieuse qui le rendait malheureux, il lui semblait qu'il devait demeurer dans cet état, ne possédant pas de raisons suffisantes pour le quitter. Je lui suggérai alors qu'il ferait mieux de laisser de côté cette quête de raisons "valables" puisque, à mon avis, elles étaient toutes aussi mal fondées les unes que les autres; et que la seule raison que je connaissais qui pouvait amener quelqu'un à quitter un état pour un autre était qu'il n'y trouvait plus ni plaisir ni agrément.

Marcel se récria alors que toutes les raisons ne se valaient pas, et qu'il était indigne pour un religieux de quitter la vie religieuse *seulement* pour se marier, qu'il fallait d'autres raisons plus "solides", que si l'on généralisait ma théorie, chacun n'en ferait qu'à sa tête et alors, où irions-nous? Je l'engageai à ne pas tenter de régler les problèmes des autres, mais à concentrer ses réflexions sur sa propre situation. Je lui expliquai également qu'il n'était pas nécessaire, pour changer de décision, d'avoir d'autre raison que celle de constater que cette décision ne nous plaisait plus, et que d'ailleurs il était impossible de faire autrement puisque toutes les autres raisons dites "valables" se révélaient n'être que des rationalisations destinées à permettre à leur inventeur de se donner l'illusion de ne pas être responsable de ses choix et de sa vie.

Au fond, Marcel avait une sainte trouille du Dieu dont il s'était formé l'image pendant son enfance. Je reviendrai plus en détail sur cette peur au chapitre 27. Malgré ses études théologiques et ses années de spiritualité, il concevait encore Dieu comme un patron hargneux, soupçonneux, toujours prêt à châtier vigoureusement ses créatures maladroites. Une espèce de père Fouettard tout-puissant!

Marcel fit littéralement des centaines de confrontations écrites et probablement encore plus de confrontations mentales avant d'arriver à ébranler le réseau tenace de ses pensées non réalistes. Il en avait de tous les genres, en plus de celles portant sur l'obligation de respecter ses engagements. Il se croyait obligé de plaire aux autres, considérant comme une catastrophe d'être désapprouvé par eux. Il avait aussi sur la vie conjugale des opinions qui en faisaient alternativement un paradis, où tous les problèmes s'évanouissent dans l'amour ou, au contraire, une condition de second ordre, tout juste bonne à offrir un asile à ces infortunés que ronge la concupiscence. Remarquons en passant qu'il trouvait malheureusement un aliment à ce second type de pensées dans les opinions assez défavorables de certains écrivains sacrés, notamment l'apôtre Paul. Celui-ci n'était pas sûrement le seul, à son époque, à penser qu'"il vaut mieux se marier que brûler", mais la tradition nous a conservé ses lettres alors que les écrits de ses contemporains ont disparu. Il ne s'agit pas de décrire Paul comme un névrosé misogyne, mais on peut bien reconnaître qu'il n'avait pas des femmes ni du mariage une idée très positive, mais une conception à tout le moins ambivalente. Cette pensée a d'ailleurs influencé jusqu'à nos jours une bonne part de l'attitude officielle de l'Eglise chrétienne envers la femme, radicalement exclue d'une hiérarchie exclusivement masculine et confinée à des rôles subalternes.

Graduellement, Marcel en vint à admettre qu'il était le responsable de ses décisions passées et présentes, et qu'il était inutile pour lui de chercher d'autres raisons à sa sortie de la vie religieuse que son dégoût pour ce genre de vie. Il quitta donc sans fracas ce milieu où il n'avait guère connu que l'angoisse et, peu de temps après, épousa Héloïse. Ce changement ne lui demanda d'ailleurs pas peu de courage, car il quittait ainsi la sécurité matérielle assurée jusqu'à sa mort pour affronter la compétition du monde du travail, où il est rare qu'un employeur accorde une prime à un ex-théologien. Il ne semble d'ailleurs pas faux de penser que les facteurs de sécurité jouent un rôle considérable dans la persévérance de beaucoup de religieux et de religieuses plus âgés. Il est beaucoup plus simple pour une jeune religieuse, infirmière ou enseignante, de trouver à gagner sa vie que pour une vieille soeur qui a été cuisinière à la maison-mère pendant vingt-cinq ans. Je n'insinue pas ici que *tous* les religieux âgés qui demeurent dans la vie religieuse le font pour des raisons de sécurité, *encore que cela n'aurait rien de honteux ni de condamnable,* chacun ayant bien le droit de mener sa vie comme il l'entend. Il suffit de ne pas se boucher les yeux pour constater la vraisemblance de cette hypothèse.

Chapitre XVI
Nadine, ou la peur de l'autorité

En voilà une qui a fait pâlir plus d'un et qui a foutu la trouille même aux héros: la sainte peur de l'autorité.

Tout commence, comme presque toujours, quand on est petit. On a chanté sur tous les tons le charme et la spontanéité de l'enfant et vanté son ingénuité et son goût de la découverte. Je ne veux rien enlever à tous ces titres de gloire, mais faire remarquer que ces qualités enviables sont alliées chez l'enfant à une dose inconcevable de naïveté. Le petit enfant, aussitôt qu'il est en mesure de comprendre ce qu'on tente de lui communiquer, fait preuve d'un manque lamentable d'esprit critique et avale indistinctement les vérités les plus certaines comme les inepties les plus désolantes. Ses parents lui apprennent, et on comprend facilement pourquoi, qu'il doit les aimer et les respecter, les tenir pour les juges infaillibles du bien et du mal, de la vérité et de l'erreur, les considérer comme omniscients et toujours justes, toutes choses que ces mêmes parents n'essaieraient pas de faire croire à un adulte plus averti et qu'ils ne croient d'ailleurs pas eux-mêmes. Ils abusent de l'inexpérience de l'enfant pour le berner; sous prétexte de lui éviter des "problèmes trop sérieux pour son âge'', ils lui enseignent des fadaises dont l'enfant aura souvent le plus grand mal à se défaire plus tard.

Ce travail de mystification n'est pas l'apanage des seuls parents. Educateurs, professeurs, enseignants et pions de tout genre s'y livrent également avec allégresse. Les écrivains pour enfants, sous des formes poétiques, les pédagogues, sous des formes pédantes, les curés, sous des formes bondieusardes, continuent en douce ce lessivage de l'esprit. Comme si ce n'était pas suffisant, l'enfant, avant même de savoir lire, s'installe devant le téléviseur et est alors bombardé d'un flot presque ininterrompu de sottises. Puis, il apprend à lire, mais si c'est le journal, pauvre petit diable! Triple portion d'insanités!

De plus, l'enfant, par la force des choses, est un être chétif et faible qui se rend compte très tôt qu'il est impuissant à se défendre contre tous ces êtres adultes, plus gros, plus forts, plus rapides, plus rusés que lui. Entre le père et le bébé, c'est le bébé qui doit concéder à la force physique. Il essaie bien de compenser cette faiblesse par des cris perçants et des pleurs interminables, mais c'est encore le père qui finit par l'emporter, du moins dans la plupart des cas.

Il est donc approprié et compréhensible qu'un enfant ait peur des adultes qui l'entourent et, s'il ne les redoute pas, c'est souvent parce qu'il s'illusionne sur leurs véritables intentions et se laisse abuser par les apparences.

Cependant, on finit par finir d'être un enfant. Vient le jour ou le petit garçon est aussi fort et avisé que son père, où la jeune fille peut parvenir à tenir tête à sa mère. Mais, catastrophe, alors qu'on s'attendait à saluer l'accession d'un nouvel humain à l'autonomie, les *idées* soigneusement cultivées par ses éducateurs dans son esprit continuent leur carrière et persistent à produire leurs effets: peur et anxiété en face de l'autorité.

L'homme fait, la femme adulte continuent à trembler devant leurs parents, devant le patron, devant le policier, devant le chef syndical, et même devant le gardien de parking!

Voilà ce qui amenait Nadine dans mon bureau. Elle avait peur d'à peu près tout le monde, même des conducteurs d'autobus et, quand elle se croyait menacée, elle recourait aux mêmes tactiques dont elle s'était servie avec un certain succès pour désarmer pendant son enfance le bras vengeur de sa mère: elle fondait en sanglots et fendait l'air de ses gémissements. Inutile de vous dire qu'elle se considérait comme la dernière des imbéciles, et que même, avec raffinement, elle prenait occasion de sa faiblesse et de ses larmes pour se traiter d'idiote avec encore plus de véhémence. "Je pleure parce que je suis stupide, et je suis stupide parce que je pleure!"

Je commençai par essayer de lui démontrer une chose que je croyais simple et évidente: tous les humains sont égaux, commencent tous leur vie de la même manière en manquant de s'étouffer avec le cordon ombilical et, qu'ils aient entre-temps été évêque ou chiffonnier, la terminent tous dans leur robe de chambre en sapin. Nadine voulait bien convenir qu'il en était ainsi, mais, ajoutait-elle en sanglotant, entre le cordon et la robe de chambre, tous les autres étaient plus futés, plus intelligents, plus forts, plus avisés, plus brillants qu'elle, pauvre gourde.

Les parents de Nadine, avec lesquels elle vivait encore, exploitait la situation au maximum. "Ne fais surtout pas d'autres bêtises", rugissait son père. "Ne reviens pas après 10 heures, tu sais comme je suis inquiète à chaque fois que tu sors... je n'arrive pas à dormir", susurrait sa mère.

Au bureau où elle travaillait, c'était la même chanson. Son patron lui faisait-il un peu sèchement remarquer qu'elle avait fait trois fautes en dactylographiant une lettre, que Nadine s'effondrait, en larmes. Ses tantes trouvaient qu'elle avait l'âme délicate et, pendant ses études, une religieuse avait loué sa grande sensibilité, ajoutant que cela la ferait sans doute beaucoup souffrir, mais que cette souffrance serait noble, comme celle de la colombe déchirée par les vautours.

Avec de telles fadaises dans l'esprit, la vie de Nadine se consumait dans la peur et je conclus que ce ne serait pas un mince travail que de l'amener à se débarrasser de ces croyances et à constater qu'elle avait, tout autant que quiconque, le droit et la responsabilité d'affirmer son autonomie.

Après lui avoir expliqué les rudiments de l'approche émotivo-rationnelle, je lui suggérai un régime intensif de confrontations, se concentrant toutes sur les idées qui causaient sa peur en face de l'autorité. Nous commençâmes par ses idées les moins ancrées. Ainsi, elle apprit à se dire et à croire que le conducteur de l'autobus n'était ni un monstre ni un être supérieur, mais tout simplement un humain comme elle, et qu'il était vraiment improbable qu'il se livrât sur elle à des attaques autres que verbales. En même temps, je l'invitais à passer à l'action avec l'espoir que son expérimentation viendrait appuyer les nouvelles idées qu'elle s'efforçait d'implanter dans son esprit. Ainsi, elle arriva à échanger quelques mots avec le chauffeur en question et fut agréablement surprise quand il lui répondit avec courtoisie et bonhomie. Il n'y avait de monstre que dans son esprit!

Ensuite, nous nous attaquâmes au patron et aux autres personnes qu'elle rencontrait au travail. Graduellement, Nadine en vint, à force de travail mental, à pouvoir accepter, sans enthousiasme bien sûr, mais sans dépression non plus, les inévitables heurts qu'amènent les contacts interpersonnels. Entre-temps, le travail qu'elle accomplissait dans un secteur débordait sur les autres et elle éprouvait de plus en plus de sécurité. Restaient ses parents, modèles premiers et antiques de l'autorité. Nadine arrivait encore mal à rester calme durant les explosions paternelles et à résister aux séductions et aux manipulations de sa mère. Comme c'est souvent le cas, elle confondit d'abord l'assurance et l'affirmation de soi avec l'insolence et l'insulte, alors que ces dernières ne sont que l'indice d'une personnalité encore mal assurée. Elle dit avec colère à son père de se mêler de ses affaires et d'aller se faire pendre, mais réagit avec terreur quand celui-ci après un moment de stupeur, s'effondra à son tour dans les larmes, décriant l'ingratitude de sa fille et appelant sur elle les châtiments réservés aux filles indignes.

Je conseillai à Nadine d'agir plus que de parler. Je lui suggérai aussi qu'il serait peut-être avisé pour elle de s'établir hors du domicile familial.

Nadine réussit à prévenir calmement ses parents de sa décision. Son père demeura muet de surprise, mais sa mère fit une scène terrible, déclarant qu'elle se mourait déjà d'anxiété quand Nadine revenait au logis après l'heure annoncée, qu'elle ne survivrait donc pas à l'anxiété que lui causerait le départ de sa chère petite. Je sus que la partie était gagnée quand Nadine me raconta qu'elle avait répondu avec pondération à sa mère qu'elle trouvait bien regrettable qu'elle se tourmentât tant à propos d'elle et de sa sécurité, qu'elle espérait que sa mère chercherait à se faire aider professionnellement pour se défaire de cette anxiété dont elle, Nadine, n'était pas la cause, mais qu'en attendant, elle avait décidé, malgré la désapprobation de ses parents, de vivre sa vie comme elle l'entendait, compatissant à leur angoisse, mais refusant de céder plus longtemps à leur chantage.

Chapitre XVII

Olivier, ou la peur
d'être un mauvais père

Cette peur, au cours des siècles, a sans doute empêché la venue au monde d'un nombre indéterminé d'enfants, en plus de venir troubler le repos de plus d'un adulte. Je veux parler ici de ces personnes, hommes ou femmes, qui sont terrifiées à la perspective de donner le jour à un enfant et qui se considèrent comme incompétents pour assurer son éducation. Je parle aussi de ces personnes qui, après avoir procréé un bébé, passent des années d'angoisse à se reprocher amèrement d'être de mauvais parents et de bousiller lamentablement le développement de leur enfant. Et si, de plus, l'enfant "tourne mal", à quel excès de culpabilité n'assiste-t-on pas alors!

Commençons par établir une vérité; si par "bons parents", on veut entendre des parents qui ne feraient aucune erreur dans leur travail d'éducateur, qui se comporteraient en tout temps envers l'enfant de façon constructive et qui observeraient sans défaillance toutes les recommandations du Dr Spock et des légions d'autres "spécialistes" de l'éducation au foyer, il est clair que de tels parents n'existent pas et ne peuvent pas exister. Il ne sert à rien de déplorer ce fait et de s'en lamenter: les choses sont ainsi; les parents sont des êtres humains et, comme tels, la perfection dans tout domaine leur est inaccessible.

Remarquons que le métier de parent, certainement l'un des plus anciens au monde, est aussi l'un pour lesquels il existe le moins de préparation. Tout se passe comme si la société assumait que l'art d'éduquer un enfant est acquis aux parents par science infuse. Non pas que cet art soit si complexe qu'il faille s'y préparer par dix années d'études. Au contraire, il m'apparaît relever en grande partie du bon sens élémentaire et, comme on le sait, ce n'est pas en général dans les universités qu'on enseigne le bon sens!

D'autre part, bon nombre de volumes destinés aux parents contiennent un lot impressionnant de sottises et d'exagérations. Certains parents en font une consommation alarmante et en arrivent ainsi à considérer leurs enfants comme des êtres terriblement délicats. A lire ces manuels d'éducation des enfants, on finit par se laisser convaincre que la moindre erreur de tactique peut avoir des conséquences dramatiques sur le développement ultérieur de l'enfant, que la moindre impatience, la moindre claque un peu vive risquent d'ulcérer sa petite âme et de lui donner des complexes. J'ai vu un jeune père manier son bébé avec tant de précautions qu'on eût dit qu'il transportait un bidon de nitroglycérine. On a tant répété aux parents que "tout est réglé à l'âge de cinq ans", sans espoir de retour, que les déficiences des premières années ne se comblent jamais et accompagnent l'enfant tout le reste de sa vie, qu'il *faut* nourrir l'enfant au sein, qu'il *faut* le coucher sur le dos, sur le ventre, sur le côté, qu'il ne *faut jamais* le taper, qu'il *faut* lui jouer du Bach au réveil, qu'il *faut* le laisser pleurer, qu'il *ne faut pas* le laisser pleurer, qu'il *faut* lui permettre d'explorer son environnement, qu'il *faut* qu'il dise "maman" à tel mois, et que sais-je encore, qu'on ne s'étonnera pas que bien des parents ou des futurs parents considèrent l'éducation de leurs enfants avec autant d'appréhension qu'un savant s'apprêtant à tenter la fission de l'atome! Comme le dit Allport (*The Person in Psychology*): "il est temps que nous nous demandions comment, dans ces professions qui ont pour objet de fournir de l'aide aux autres, et ici je pense à la psychiatrie, au travail social, à la psychologie appliquée et à l'éducation, nous pouvons arriver à retrouver une partie au moins du bon sens que nous semblons avoir perdu." (p. 125)

Olivier avait peur d'être un mauvais père pour l'enfant dont sa femme devait accoucher dans cinq mois. Marié depuis neuf ans, Olivier avait toujours reporté à plus tard la venue du bébé que sa femme souhaitait, prétextant que la situation financière du couple était encore trop incertaine, que son travail l'absorbait trop, autant de prétextes qu'il avait utilisés pour ne pas s'avouer à lui-même qu'il avait tout simplement peur de la paternité.

Olivier n'avait pas été très heureux pendant son enfance. Il se rappelait avec émotion avoir passé des années ennuyeuses et ternes, isolé des autres enfants du voisinage, en contact avec des parents assez froids et peu démonstratifs. Son père avait été plus un exemple de devoir et de travail qu'une source de chaleur humaine. La mère, profondément infériorisée, avait toujours été malade et souffreteuse, trop écrasée pour donner beaucoup d'attention à sa ribambelle de onze enfants, dont Olivier était le dernier. Olivier était certain qu'il ne saurait jamais comment s'y prendre avec un enfant, que celui-ci serait malheureux comme lui-même l'avait été ou, au pire, qu'il "tournerait mal", deviendrait délinquant ou serait retardé mentalement. Depuis que sa femme lui avait annoncé craintivement qu'elle était enceinte, Olivier passait de mauvaises nuits, tourmenté par l'anxiété, se répétant sans cesse que le malheur allait s'abattre sur lui. Il avait songé à proposer l'avortement à sa femme, mais ses principes religieux l'en avait empêché. Comme il fallait s'y attendre, il devenait hostile envers le bébé à naître, lui reprochant d'être la cause de son anxiété. Il se reprochait aussi amèrement à lui-même son "imprudence" d'une nuit de mai et n'était pas loin d'accuser son épouse d'avoir machiné toute l'affaire à son insu.

Ce n'est pas qu'Olivier détestait les enfants; au contraire, il les aimait, en autant qu'il n'était pas leur père. Il passait des heures à jouer avec ses neveux et faisait même preuve d'une patience exceptionnelle avec eux.

Je commençai par essayer de lui faire prendre conscience que son problème provenait de sa basse opinion de lui-même comme père potentiel, de son exigence de perfection et du fait qu'il percevait comme catastrophiques les échecs de tout genre. Je lui montrai que c'était parce qu'il se répétait sans cesse à lui-même qu'il ne vaudrait rien comme père, que cela serait tragique et que l'enfant en serait marqué pour toute la vie, qu'il éprouvait autant d'anxiété. Olivier commença par nier entretenir de telles idées dans son esprit; cela n'a rien d'exceptionnel, si on se souvient que ces pensées étaient devenues pratiquement automatiques chez lui et qu'il n'en remarquait plus la présence; Beck a noté combien de telles pensées sont en général indépendantes de toute décision délibérée de la personne et s'introduisent dans son esprit sans même qu'elle s'en rende compte consciemment (*Cognitive Therapy and the emotional disorders*).

Après que j'eus attiré son attention à plusieurs reprises sur ces suites de pensées vaguement conscientes, Olivier commença à en remarquer la présence. L'indice principal qui le mit sur la piste fut la constatation qu'il se sentait triste, tendu et anxieux à chaque fois qu'il voyait un bébé ou qu'on parlait de bébés ou de paternité en sa présence, alors qu'il ne ressentait pas la même chose quand il s'occupait de son travail ou qu'on parlait avec lui d'autres sujets. Comme les chiens de Pavlov commençaient à saliver quand ils entendaient le son de la cloche qui était devenu pour eux associé à la présentation de nourriture, ainsi l'évocation des bébés déclenchait dans l'esprit d'Olivier un réflexe conditionné, et mettait en marche son moulin à pensées négatives. Comme on le voit, ce n'étaient pas les bébés ou l'évocation des bébés qui causaient directement l'anxiété d'Olivier, pas plus que ce n'est la cloche qui faisait saliver les chiens de Pavlov; les bébés comme la cloche ne servaient que de stimulus déclenchant les processus cognitifs qui, à leur tour, causaient l'anxiété.

Olivier parvint donc à identifier les idées qui lui causaient tant de tracas. Nous pûmes alors nous attarder à les examiner et à les confronter à la réalité. Il comprit assez vite qu'il est impossible à un être humain d'être un mauvais père ou d'en être un bon, et qu'il ne peut exister que des pères qui, avec des fréquences variables, posent des *gestes* plus ou moins heureux en rapport avec leurs enfants. Une bonne part de son anxiété s'évanouit avec la disparition de cette notion absurde, fruit de la confusion entre l'identité d'une personne et les actes qu'elle pose.

Nous passâmes ensuite à la distinction entre la *responsabilité* et la *culpabilité*, deux notions que la plupart des gens confondent continuellement. Il parvint à comprendre sans trop de peine que la *responsabilité* désigne le fait que quelqu'un est bien *l'auteur* ou la *cause* de tel ou tel événement. Ainsi, si j'écrase un chien avec ma voiture, même par inadvertance, je suis responsable de sa mort, puisque c'est bien moi qui étais au volant et que sa mort a été causée par mon action.

La *culpabilité* est tout autre chose et repose sur la notion erronée que tel acte est interdit alors que tel autre est permis. Elle repose sur l'équation suivante: acte bon, donc acte autorisé; acte mauvais, donc défendu. La culpabilité, en tant que sentiment, ne nous affecte que quand nous croyons avoir posé un geste *défendu*. Les sentiments qui nous habitent quand nous croyons avoir posé un geste *mauvais* mais non défendu, sont la tristesse et le regret.

Olivier arriva donc à comprendre qu'il pourrait bien être *responsable,* au moins en partie, des éventuels méfaits de son rejeton, mais qu'il n'en serait jamais coupable, puisqu'il faudrait alors qu'il existe quelque loi qui lui interdise de poser des gestes impropres dans l'éducation du petit. De telles lois n'existent évidemment pas, sauf certaines lois fort peu nombreuses interdisant et frappant de sanctions des comportements très inopportuns, comme la brutalité répétée à l'égard de l'enfant. Et même dans ce cas, il n'existe pas de "loi naturelle" qui exige qu'on observe les lois humaines, quelque judicieuses qu'elles puissent être par ailleurs.

En dernière analyse, Olivier comprit qu'il ne *pouvait* pas être un bon ni un mauvais père, qu'il n'y était d'ailleurs (et fort heureusement) pas obligé, mais qu'il trouverait heureux d'éviter le plus possible les erreurs et de s'exercer aux gestes appropriés dans l'éducation de son futur enfant. Cette constatation amena beaucoup de détente dans son esprit. La naissance du petit cessa d'apparaître à ses yeux comme un événement tragique, menaçant son estime de lui-même. Il lui devint possible d'attendre la naissance avec plus de confiance et même avec une certaine impatience, maintenant qu'il ne croyait plus qu'il était indispensable et nécessaire qu'il soit un "bon" père.

Chapitre XVIII
Pierrette, ou la peur
de perdre la raison

La peur de perdre la raison, de devenir "fou", à laquelle Raimy *(Misunderstandings of the self)* a donné le doux nom de *phréno-phobie,* affecte, selon lui, entre vingt et trente pour cent de la population en général, à un moment ou l'autre, et plus de soixante-dix pour cent des personnes engagées en thérapie (Thorne, *Personality: a clinical eclectic viewpoint).* C'est dire que nous nous trouvons en présence d'un phénomène très répandu.

Une partie de la peur de perdre la raison est sans aucun doute due aux imaginations qui peuplent l'esprit de beaucoup de personnes quant à la maladie mentale. La plupart des gens n'ont jamais été en contact direct avec un résident d'un hôpital psychiatrique. Ils tiennent leur "information" des films, de la télévision et des romans à succès. On y décrit les psychosés à peu près toujours comme des candidats au suicide, des meurtriers en puissance, des désaxés sexuels. On les y présente surtout comme ayant perdu tout contact avec le réel, et tout contrôle sur leur comportement, étrangers à eux-mêmes et au monde qui les entoure. Des expressions comme "Il a perdu la boule", "Il est devenu un légume", "Fou furieux", ne sont faites pour rassurer personne, pas plus que les descriptions hautes en couleur des traitements étranges et des supplices auxquels sont soumis les aliénés. Des films comme *Vol au-dessus d'un nid de coucou,* mise à part leur valeur dramatique, contribuent à perpétuer le mythe de l'hôpital psychiatrique vu comme un enfer où les malheureux pensionnaires sont torturés par des infirmières et des médecins diaboliques, encore plus détraqués que leurs patients.

Cette peur amène ainsi de nombreuses personnes à fuir les services qui pourraient les aider. Elles ont l'impression qu'en consultant un psychologue ou un psychiatre, elles se décernent à elles-mêmes un diplôme de folie et redoutent d'entendre de la bouche du spécialiste le verdict affreux de cinglé.

Malgré la peur qui la rongeait, incapable de tolérer plus longtemps son anxiété, Pierrette vint me consulter. Parmi les diverses peurs qui l'habitaient, la crainte de devenir folle tenait le premier rang. Elle croyait que l'anxiété et la tension qu'elle ressentait à propos de diverses choses: son travail, son divorce imminent, ses dettes accumulées, et qui étaient dues aux idées qu'elle abritait dans son esprit à ces sujets, étaient les signes qu'elle allait bientôt "faire une dépression", qu'elle allait perdre la raison. Elle avait remarqué qu'elle oubliait certaines choses, par exemple de verrouiller la porte de son appartement en le quittant, ou de prendre sa monnaie à l'épicerie, et elle en concluait que ces oublis, attribuables à son anxiété et à sa préoccupation constante à propos de son divorce, constituaient des indications de plus de sa déchéance prochaine. Elle avait de la difficulté à se concentrer, ne parvenant pas, par exemple, à se souvenir de la page qu'elle venait de lire dans un livre qu'elle aimait. Elle était aussi devenue très irritable, explosant émotivement à propos de tout et de rien et passant par des périodes successives d'exaltation et de désespoir.

Comme elle avait lu quelque part que c'étaient là des symptômes de la psychose maniaco-dépressive, elle en avait conclu que le jour ne saurait tarder où elle perdrait complètement les pédales. Elle se voyait déjà à l'"asile", revêtue d'une camisole de force, hurlant des obscénités, se débattant au milieu d'un groupe d'infirmières atterrées. En plus de toutes ces peurs, comme son agitation l'empêchait de passer de bonnes nuits et que, comme bien des gens, elle était souvent persuadée qu'elle n'avait pas fermé l'oeil de la nuit (alors que, plus probablement, elle avait dormi de façon intermittente) elle croyait que le manque de sommeil ne manquerait pas de la rendre folle si tout le reste n'y suffisait pas.

J'entrepris de démontrer à Pierrette que les symptômes qu'elle éprouvait ne constituaient, en toute probabilité, que les réactions habituelles à un état d'anxiété et de stress prolongé, émotions qu'elle avait développées à l'occasion des situations difficiles qu'elle devait affronter. Même si l'anxiété est entièrement causée par les pensées qui nous assaillent à l'occasion des événements, il faut bien reconnaître que la plupart d'entre nous produisons ces pensées plus facilement à l'occasion de certains événements, alors que d'autres nous laisseront indifférents. On comprendra que la personne "moyenne" ressente plus de stress et d'anxiété à l'approche d'un examen final ou d'une grave opération que quand elle s'apprête à prendre l'autobus ou qu'elle risque de perdre cinq dollars.

L'anxiété intense que ressentait Pierrette face surtout à son divorce prochain et aux dettes considérables qu'elle avait contractées suffisait donc amplement à expliquer sa nervosité, ses absences de mémoire, ses préoccupations, son irritabilité et ses insomnies, sans qu'il fût nécessaire de faire intervenir l'approche de la maladie mentale. De plus, sa considération de la maladie mentale comme d'une horreur incurable à laquelle même la mort est préférable causait chez elle un surplus d'anxiété dont elle aurait fort aisément pu se passer. Pierrette n'était ni folle ni sur le point de le devenir vraisemblablement, mais elle était très anxieuse.

Je crois que ce qui fut le plus efficace avec Pierrette, à part les confrontations qu'elle commença graduellement à faire, fut la manière posée et réfléchie dont nous discutâmes de ses problèmes. Il est très rassurant pour quelqu'un qui a peur de perdre la tête de rencontrer un aide qui, malgré ses dénégations, s'obstine à discuter rationnellement avec lui et maintient que la personne possède les ressources pour régler les problèmes qui la tourmentent.

En se délivrant de sa peur de perdre la raison, Pierrette retrouva aussi du goût et de l'énergie pour s'attaquer à ses vrais problèmes. En effet, il est aisé de comprendre que quand on se sent menacé de tout perdre, on n'est pas très motivé pour s'occuper des détails, pas plus que les naufragés sur le bateau en train de couler ne se préoccupent de sauver leurs bagages. Maintenant qu'elle ne se croyait plus aux portes de la démence, Pierrette put s'appliquer à faire face à son divorce et à payer ses dettes. Ce sont là des problèmes qui, surtout le dernier, n'ont pas de solution rapide, qui demandent du temps et des efforts soutenus, mais qui sont simplifiés par la délivrance d'une anxiété issue de conceptions non réalistes.

Chapitre XIX

Quidam

Je n'ai pas trouvé de prénom français qui commence par la lettre Q. Aussi, ai-je pensé vous offrir un petit repos à ce point de nos réflexions, et je vous présente mon

PETIT GLOSSAIRE DÉRAISONNABLE

Tout au long de ce livre, je tente de vous rendre conscient de l'importance concrète que revêt pour nos vies notre langage intérieur. Nous finissons par croire ce que nous nous répétons et ces croyances, si elles sont fausses et mal fondées, risquent de nous causer des ennuis émotifs considérables.

J'ai rassemblé pour vous ici, à titre d'aide-mémoire, un certain nombre de mots et d'expressions glanés au hasard des heures de consultations et de mes rencontres avec des groupes. Ils ont tous pour point commun d'être non réalistes ou "dangereux", c'est-à-dire susceptibles d'être mal utilisés. Comme l'homme est doué d'imagination, notre langage contient des mots qui désignent des choses qui, de fait, n'ont pas d'existence réelle *(Pégase, dragon, cyclope)* et, d'autre part, nous groupons souvent des mots "réalistes" de telle sorte, que leur assemblage devient absurde *(La mort de ma femme est une catastrophe)*. Pour chacun des mots et chacune des expressions, j'ai formulé quelques commentaires.

Absolu, absolument:

Inconnaissable et indémontrable. A remplacer par *relatif, relativement*.

Amour:

Mot très vague, recouvrant une foule de sentiments souvent fort contradictoires. A employer avec une extrême prudence. QUESTION: "M'aimes-tu? Dis-moi que tu m'aimes!" RÉPONSE: "Je ne sais pas ce que vous voulez dire... Veuillez définir vos termes". FIN DE NOMBREUX DIALOGUES INUTILES.

Anormal:

Désigne les phénomènes et les personnes qui s'écartent de l'ordinaire. Souvent employé à tort pour reprocher à une personne des comportements déplaisants pour une autre ou heurtant son échelle de valeurs. (Emploi à bannir.)

Besoin:

Au sens absolu, toujours faux. Au sens relatif, parfois vrai. Ex.: "J'ai *besoin* d'un clou si je veux en planter un." Souvent utilisé pour justifier ses goûts et ses désirs.

Blesser, blessure:

Ne peut s'employer au sens propre que s'il s'agit de blessures physiques. Les autres "blessures" constituent des figures de style, rien de plus. "Ses paroles m'ont blessé" suppose que vous avez l'oreille très sensible ou que votre interlocuteur parlait vraiment très fort.

Catastrophique, terrible, épouvantable:
La plupart du temps, décrivent avec exagération. A remplacer le plus souvent par *désagréable* (très), *ennuyeux* (très), *malcommode* (très).

Certain, certitude:
Désignent des choses ou des états inaccessibles à l'être humain en ce qui concerne le *futur*. A réserver, avec prudence, aux conditions et aux choses *passées* et/ou *présentes* (avec encore plus de prudence).

Devoir (je dois, tu dois, il doit):
Toujours faux au sens absolu: "Je *dois* aimer ma femme". Parfois vrai au sens relatif: "Je dois aller à Québec si je veux rencontrer un ami qui s'y trouve".

Droit (ne pas avoir le):
Toujours faux. A rayer du vocabulaire, sauf dans des emplois comme ligne *droite,* i.e. au sens physique du terme. Souvent utilisé pour justifier les colères, donner bonne conscience et alléger le sentiment de culpabilité.

Etre (je suis, tu es, il est):
Presque toujours employé à mauvais escient. Toute phrase commençant par "*Je suis*" ne peut que se terminer par "un être humain." Toute phrase commençant par *tu es* ou *il est* ne peut également que se terminer de la même manière si elle s'adresse à un bipède doué en principe de raison.

Goût (ne pas avoir le):
Souvent utilisé pour exprimer la peur ou le refus. Employé abusivement comme synonyme d'*impossible* (voir ce mot).

Il faut:

Employé de façon absolue, cette expression est toujours fausse: "Il faut que je travaille". Elle peut devenir raisonnable si elle est employée au sens relatif: "Il faut que je mange pour vivre", "il faut que je travaille pour être payé".

Impossible, ne pas pouvoir:

Employés comme substitut par la plupart des gens pour désigner une chose qu'ils trouvent difficile ou déplaisante: "Je regrette de ne pouvoir vous recevoir, *c'est impossible*". En vérité, "*Je ne veux pas* vous recevoir, je préfère aller me reposer". Souvent utilisés pour nier ses responsabilités.

Insupportable:

Toujours faux lorsqu'employé par un être vivant (et les morts parlent peu, c'est bien connu). "Ma femme est insupportable! J'en sais quelque chose, je la supporte depuis 30 ans!" Souvent utilisé pour nier ses responsabilités.

Lois:

Les vraies lois naturelles sont rares. Les autres codifient la plupart du temps les préjugés du groupe dominant d'une société. Appliquées à soi, constituent le décalogue personnel: "Je dois être un bon garçon", "Je dois plaire à mon entourage", "Je dois faire ce qui est bien". Ce décalogue personnel ne revêt aucun caractère d'objectivité.

Méchant, mauvais, bon, sot:

Tous ces adjectifs décrivant des jugements de valeur ne sont utilisables légitimement qu'à propos d'actes et jamais à propos de personnes.

Nécessaire, indispensable, essentiel:
Même remarque que pour "il faut". Rarement vrais, même au sens relatif.

Parfait, parfaitement:
Désignent des choses ou des conditions purement idéales, donc hors d'atteinte pour un être humain.

Probable:
Souvent confondu avec possible.

Chapitre XX

Réjeanne, ou la peur
des ascenseurs

Dans ce chapitre, je veux faire au moins une brève incursion dans le domaine très varié des phobies diverses qui affectent, de façon plus ou moins marquée, la vie de presque tout le monde.

Certaines de ces phobies sont bénignes et n'entraînent pas de sérieux inconvénients. Que telle personne ait peur des papillons, des souris ou des serpents n'a pas en général de conséquences très ennuyeuses sur l'organisation de l'ensemble de sa vie. Mais il en est d'autres qui sont fort gênantes et qui compliquent beaucoup l'existence.

Prenons le cas de Réjeanne. Elle avait peur de prendre les ascenseurs, disait-elle. Cela n'aurait pas été bien grave en soi si elle n'avait pas occupé un poste qu'elle aimait dans une entreprise dont les bureaux venaient justement d'être installés au quatorzième étage d'un gratte-ciel, après avoir été situés pendant dix ans au rez-de-chaussée. Sa peur des ascenseurs l'amenait à prendre l'escalier chaque matin et à procéder à la longue et pénible escalade des quatorze étages. Comme personne ne rajeunit, elle voyait bien qu'elle n'arriverait plus avant longtemps à réussir cet exploit sans mettre sa santé en danger. De plus, une fois parvenue toute pantelante à son bureau, cela lui prenait une demi-heure à récupérer. Elle devait apporter avec elle son repas du midi, qu'elle mangeait solitairement à son bureau, alors que ses collègues allaient en groupe se restaurer. En fin d'après-midi, elle entreprenait la descente de cette montagne et arrivait chez elle exténuée.

En causant avec Réjeanne, je m'aperçus assez rapidement que sa peur des ascenseurs n'était pas isolée. Elle avait aussi peur des voyages en avion, des endroits publics fermés, des foules, peur de voyager dans des autobus ou des voitures climatisés, peur des pièces sans fenêtre, du métro.

Le point commun de toutes ces phobies semblait assez clair: Réjeanne avait peur d'étouffer, de manquer d'air dans tous ces endroits. Elle n'avait pas peur que les câbles de l'ascenseur se rompent et qu'il tombe, mais plutôt que la mécanique se bloque, la laissant emprisonnée dans la cage, entre deux étages, succombant à l'asphyxie. De même pour l'avion: elle se voyait avec horreur emprisonnée dans ce long tube, dans une atmosphère devenant progressivement irrespirable, où elle suffoquerait. La même idée la tenaillait à propos de tous les endroits clos. A cette peur de l'asphyxie, se joignait une peur sociale: Réjeanne redoutait de se rendre ridicule en perdant connaissance dans ces endroits publics, attirant ainsi sur elle l'attention des autres. Elle croyait aussi que quand une personne s'évanouit, ses sphincters se relâchent automatiquement et qu'elle ne peut plus contrôler ses émissions d'urine.

La situation était urgente. Nous n'avions pas le temps de procéder à une analyse détaillée des antécédents de Réjeanne si elle voulait pouvoir conserver son emploi. Je commençai par l'éclairer sur la question du relâchement des sphincters, qui constituait une erreur. Une personne évanouie retient quand même son urine.

Je m'attaquai ensuite à son idée qu'il était possible de manquer d'air dans un ascenseur, un avion ou un autobus climatisé; sans doute pouvait-on concéder que, dans ces endroits, l'air circule moins librement qu'au milieu d'une prairie, mais il est clair qu'il est en quantité amplement suffisante pour satisfaire les besoins respiratoires des usagers. Réjeanne se rendait bien compte que sa peur était exagérée, mais elle se déclarait quand même incapable de la vaincre, malgré les graves inconvénients qu'elle lui causait. Je pensai alors que nous étions en présence d'une situation de choix pour l'emploi de l'*intention paradoxale*.

Cette technique, mise au point par le psychiatre Frankl, se base sur la constatation que les peurs particulières sont en grande partie maintenues vivaces par le fait que celui qui en est affecté fait tout ce qu'il peut pour *éviter* les objets qui les provoquent. Ainsi, Réjeanne évitait soigneusement ascenseur, avion, autobus et tout endroit clos. En conséquence, la technique de l'intention paradoxale consiste à amener la personne à faire ou à souhaiter que se produisent les choses dont elle a peur. J'avais déjà employé avec succès cette technique quelques fois auparavant, notamment avec une jeune femme qui avait la phobie de se coucher. Elle n'y parvenait pas sans avoir auparavant regardé soigneusement sous son lit, dans l'armoire et derrière les tentures. Il lui semblait toujours que quelque monstre hideux se cachait à ces endroits, qui n'attendait que l'obscurité pour ramper sournoisement vers elle et l'assaillir. Elle avait développé cette compulsion à l'occasion d'un événement traumatisant de son enfance, alors que son père adoptif l'avait de fait molestée sexuellement. Pour se défendre de sa peur et arriver à dormir, elle avait imaginé ce rituel qui, depuis, ne l'avait pas quittée, malgré la honte et l'embarras qu'elle ressentait, surtout quand elle ne couchait pas seule. Je lui avais alors recommandé, non seulement de ne pas tenter d'interrompre cette procédure, mais au contraire de l'accentuer, de ne pas jeter seulement un coup d'oeil rapide sous le lit, dans l'armoire et derrière les rideaux, mais de s'y appliquer avec énergie, passant plusieurs minutes à examiner les moutons sous le lit et à se représenter de la manière la plus vive possible qu'un visage affreux allait lui apparaître dans l'armoire. En moins de trois semaines de ce régime quotidien d'intention paradoxale, elle était délivrée de sa manie et parvenait à se coucher sans se livrer à ce rituel épuisant.

Quant à Réjeanne, je lui recommandai de ne pas tenter de se rassurer, mais bien au contraire de monter dans l'ascenseur en se persuadant le plus énergiquement possible que celui-ci allait bloquer entre deux étages, qu'on ne parviendrait pas à la délivrer à temps et qu'elle étoufferait lentement en martelant désespérément les cloisons de son tombeau.

Je lui conseillai du même coup de prendre dès le lendemain le métro, en ayant soin de meubler son esprit des mêmes idées.

Quoique tout cela lui apparût absurde et contradictoire, Réjeanne consentit à tenter l'expérience. Une semaine plus tard, elle me téléphonait pour m'annoncer qu'elle prenait les ascenseurs depuis le lendemain de notre rencontre et qu'elle n'avait plus peur dans le métro. Une seule dose d'intention paradoxale avait suffi. Elle s'apprêtait maintenant à affronter les autobus et les foules, toujours avec la même technique. Surpris moi-même de la rapidité des résultats, je communiquai avec elle six mois plus tard, pour vérifier la permanence des résultats. Non seulement Réjeanne continuait-elle alors à prendre les ascenseurs et le métro sans alarme, mais elle m'annonça qu'elle venait tout juste de revenir de vacances en Europe, qu'elle avait fait l'aller-retour en avion et qu'elle était bien contente des résultats.

Je ne veux pas laisser entendre ici, pas plus que Frankl lui-même, que l'intention paradoxale est un remède-miracle, une panacée instantanée. De telles choses n'existent pas plus en psychothérapie qu'en médecine somatique. Mais son succès permet de comprendre combien le mécanisme de fuite du danger réel ou imaginaire constitue en fait un renforcement de la peur. La peur, dit-on, est mauvaise conseillère, et surtout quand elle recommande la fuite, puisque cette fuite tend à favoriser la perpétuation de la peur.

Cela ne vaut pas seulement pour des peurs circonstanciées et "physiques" comme celles qui affectaient surtout Réjeanne, mais s'applique également aux peurs "sociales": crainte de parler devant un auditoire, peur de rougir et d'apparaître ridicule, peur de l'opinion et de la désapprobation des autres, peur de bégayer et de bafouiller; chacune de ces craintes peut être attaquée à la fois par la double stratégie de la confrontation mentale jointe au passage à l'action.

J'ai déjà recommandé à une personne qui rougissait souvent de tenter par tous les moyens de rougir délibérément, de se "forcer" à rougir. Elle ne put jamais y parvenir et fut en peu de temps délivrée à la fois du phénomène et de la peur qu'elle ressentait de le voir se manifester.

L'intention paradoxale a aussi pour effet de transmettre la notion fort juste et exacte qu'un être humain n'est pas impuissant devant ses peurs, qu'il y a "quelque chose à faire", que la situation n'est pas désespérée et insoluble, à condition que la personne veuille bien consentir à affronter sa peur plutôt que continuer à fuir ce qui l'occasionne. Cela peut prendre du courage pour démarrer, et de la constance dans l'exercice, les résultats n'étant pas toujours aussi spectaculairement rapides que pour Réjeanne. Mais le courage n'est pas un don du ciel, départi aux uns mais refusé aux autres. Comme toutes les autres émotions, il est le résultat de nos pensées, et ces pensées, il est possible de les modifier si on sait comment s'y prendre et si on persiste assez longtemps à les confronter. Après tout, il y a des gens qui s'habituent à affronter des tigres dans la cage du dompteur ou à marcher sur la corde raide. Il doit bien être possible, si on s'y applique, d'arriver à affronter un auditoire composé de ses semblables ou d'apprendre à ne pas s'affoler dans un avion!

Chapitre XXI

Serge, ou la peur de faire
de la peine aux autres

Voilà une peur "noble", marque d'un esprit délicat et d'une conscience éclairée, bien préférable à des craintes minables comme certaines dont nous avons discuté jusqu'à maintenant! Eh! bien, non. Elle est aussi sotte que les autres et repose comme elles sur des prémisses irrationnelles et fausses.

Et pourtant, il semble bien que nous puissions faire de la peine aux autres. Ne pouvons-nous pas les attrister par notre conduite, les froisser par nos paroles, leur causer du souci par nos actes?

Je le dis tout net: non, c'est tout simplement impossible. Nous sommes capables de *nuire* aux autres, par la parole et l'action, nous pouvons leur causer des ennuis, nous pouvons les frapper et leur causer des blessures physiques, mais s'ils se sentent tristes, affligés, déprimés ou irrités, ces sentiments sont entièrement causés par leurs propres pensées, raisonnables ou déraisonnables.

"Je ne comprends rien à ce que vous dites-là!", répondait Serge à qui j'exposais ce qui précède. Ce jeune homme de vingt-trois ans était possédé par la peur maladive de faire de la peine aux autres. Ces "autres" incluaient ses parents, notamment sa mère, les jeunes filles qu'il fréquentait, ses frères et soeurs, d'autres membres de sa famille, dont un oncle ecclésiastique et une tante religieuse, tous gens que Serge trouvait aimables, gentils, prévenants et qu'il se faisait scrupule de désappointer par sa conduite ou ses paroles. Avec ce système, il en était rendu à étudier la médecine, pour ne pas faire de peine à son père, alors qu'il rêvait de devenir vétérinaire; il continuait à habiter le domicile paternel, pour ne pas faire de peine à sa mère, alors qu'il eut préféré apprendre à se débrouiller seul en appartement. Incroyant, il fréquentait l'église le dimanche pour ne pas peiner son oncle et sa tante et portait des chemises roses pour ne pas peiner ses soeurs. Une vie charmante, et quel bon garçon! Il avait même fréquenté pendant deux ans une jeune fille que ses parents trouvaient distinguée et convenable, mais que secrètement il trouvait empruntée et infantile; seulement, elle l'aimait tant qu'il ne pouvait se résoudre à rompre avec elle, se disant qu'il ne se pardonnerait jamais la peine qu'il lui causerait.

"Comment pouvez-vous dire que nous ne pouvons pas causer de la peine aux autres? N'est-il pas évident que si j'abandonnais la médecine et que je quittais la maison, mon père et ma mère seraient consternés? N'est-il pas certain que si je disais à Sidonie que j'ai décidé de ne pas l'épouser, elle en ferait une dépression? Ma pauvre tante ne se consolerait jamais si je cessais d'aller à la messe le dimanche, elle qui prie tous les jours pour moi!

— Il est en effet possible ou même probable que tout ce que tu dis arriverait, si tu posais les gestes que tu redoutes de poser. Mais voilà, tu n'en serais pas la *cause.*

— Comment cela est-il possible, puisque tout le monde est content actuellement, et que tout le monde serait triste si je changeais de conduite? Ne serait-ce pas mon changement de conduite qui causerait leur peine?

J'entrepris alors d'expliquer à Serge la différence entre la *cause* et l'*occasion,* comme je l'ai fait au chapitre I. A l'aide de cette distinction fondamentale mais non immédiatement évidente, il devenait plus clair que la peine que, par exemple, son père éprouverait si son fils abandonnait le soin des humains pour se consacrer à celui des bêtes serait entièrement causée par les préjugés négatifs et autres idées défavorables que le père avait dans l'esprit à ce propos. Il était sans doute dommage que son père eut ces idées dans la tête mais, de cela, Serge n'était ni responsable ni, à plus forte raison, coupable, et il n'y avait pas beaucoup de choses qu'il put faire pour changer les idées de son père, médecin réputé. Quant à l'oncle et à la tante religieuse, ils entretenaient très probablement des préjugés nettement positifs à propos de la pratique religieuse; et c'étaient ces préjugés qui causeraient leur peine, si Serge s'avisait de faire étalage de son incroyance.

"Mais alors, s'il en est ainsi, le monde va devenir un enfer, plus personne ne se préoccupera des sentiments des autres. Je ne veux pas de cette philosophie, qui m'amènerait à faire de la peine à qui que ce soit.

— Tu as la tête dure, mon cher Serge, et tu ne parviens pas à comprendre encore qu'en voulant éviter à tous de ressentir de la peine, c'est ta vie à toi que tu gâches. Tu te causes à toi-même beaucoup de peine par l'idée que tu ne dois pas causer de peine aux autres, mais cette peine que tu te causes est parfaitement inutile et injustifiée, puisqu'elle découle d'une idée *fausse*. Si tu comprends que tu ne peux pas causer la peine des autres, il ne s'ensuivra pas que ce sera avisé pour toi de heurter sans raison leurs préjugés et leurs croyances, comme il ne serait pas très approprié pour un militant d'action catholique de dénoncer le communisme pendant son congrès international. Une dénonciation brutale des croyances de l'entourage est peut-être courageuse et héroïque, mais elle est souvent aussi parfaitement inutile et parfois très dommageable pour le héros!

Les Jésuites racontent encore comment les Franciscains, avec un zèle intempestif, amenèrent la persécution et le martyre de tout le monde en Chine au seizième siècle. Les Franciscains avaient installé des cloches sur leurs établissements missionnaires et s'entêtaient à carillonner à toute heure, selon la coutume chrétienne de l'époque, malgré la désapprobation des Chinois selon lesquels, d'après leurs croyances, ce tapage dérangeait les esprits des ancêtres. La croyance des Chinois était, bien sûr, absurde, mais le carillon des fils de saint François ne l'était pas moins. Ils se retrouvèrent crucifiés et l'Eglise en a fait des martyrs, ainsi que des Jésuites qu'on confondit avec eux, mais ils furent d'abord des martyrs de leur entêtement et de leur manque de souplesse.

Ainsi, s'il n'y a pas de désavantage notable à éviter d'offrir des occasions de peine aux autres, je ne vois pas pourquoi quelqu'un heurterait de front les croyances qui causeraient cette peine.

La situation est tout autre quand cette souplesse devient sérieusement désavantageuse pour moi. Si je puis accepter d'aller voir avec ma femme un film qui ne me plaît guère, pour ne pas lui "faire de peine", je ne consentirai pas à me soumettre à un chantage émotif inconscient et à m'abstenir de gestes ou de paroles que je trouve importants, mais qui peuvent constituer pour d'autres une occasion de se faire de la peine. Il peut être courtois de ne pas s'empiffrer de choux à la crème en face d'une personne qui suit un régime alimentaire austère, mais on ne m'obligera pas à grignoter des carottes toute ma vie pour ne pas frustrer cette même personne! C'est une chose que d'avoir des égards pour les sentiments raisonnables des autres et ainsi, de ne pas rigoler à gorge déployée dans un salon funéraire, mais c'en est une autre que de modeler toute son existence pour ne jamais leur déplaire. Comme vous le voyez, cette peur de faire de la peine aux autres est proche parente de la peur de ne pas être aimé que nous avons disséquée au chapitre 4. Il vaut mieux, semble-t-il, que chacun se résolve à faire ce qui lui plaît et ce qui est avantageux pour lui sans faire exprès pour écraser les orteils psychologiques des autres. Cette attitude sera facilitée par la prise de conscience que chacun d'entre nous cause ses propres peines à l'occasion des paroles et des gestes des autres.

Qu'on ne parle donc plus de paroles "blessantes", de mots "durs"; que nul ne prétende qu'il a été démoli par les paroles méchantes des autres. Il n'y a d'outrages que physiques et de souffrances morales que celles que nous nous infligeons. Les injures n'en sont que pour celui qui s'en offusque lui-même. Des phrases comme: "Ses paroles m'ont fait mal au coeur...", "Son attitude me rend malade...", "Ses actions m'empêchent de dormir" sont toutes non réalistes sauf si on vous crie si fort aux oreilles que vous en soyez ébranlé jusqu'au coeur, ou que l'on batte du tambour autour de votre lit.

Comme il est heureux qu'il en soit ainsi, d'ailleurs! Car, au moins, si c'est moi qui cause ma peine, je peux y faire quelque chose et m'en défaire, en me débarrassant des idées qui la causent, alors que je suis souvent radicalement impuissant à changer les idées, les actions ou les comportements des autres. Je suis au moins le maître relatif de ma vie émotive, et non l'esclave des autres sur ce point, même si je peux le devenir physiquement. Nul ne peut atteindre ma sérénité et elle demeurera en moi tant que je ne viendrai pas la troubler moi-même.

Chapitre XXII

Thérèse, ou la peur
de perdre des êtres chers

Avec ce chapitre, nous abordons une peur qui me semble presque universelle. Au moment où j'ai commencé la préparation lointaine de ce livre, j'ai procédé à une petite enquête sans prétentions scientifiques auprès de groupes d'enfants d'âge scolaire, leur demandant simplement d'énumérer leurs principales peurs. J'ai eu droit à la peur des insectes, de l'obscurité et des fantômes, mais la vedette revenait sans aucun doute à la peur de ces enfants de perdre leurs parents.

La même enquête auprès de groupes de jeunes adultes a fait apparaître des peurs plus "sophistiquées", mais la peur de perdre un être cher, parent, ami, conjoint, tenait encore le premier rang.

Sommes-nous donc condamnés à avoir peur quand nous aimons une autre personne et la seule solution consistera-t-elle à n'aimer personne pour ne pas ressentir la peur de le perdre? Il semblerait alors que le remède fut pire que le mal.

C'est pourtant ce remède qu'avait adopté Thérèse. A l'âge de treize ans, elle avait perdu son père et sa mère ainsi qu'un de ses frères, dans un accident de la route. A l'âge difficile du passage de l'enfance à l'adolescence, elle avait vu disparaître les êtres sur lesquels elle comptait le plus dans la vie. Elle se souvenait d'avoir peu pleuré à l'époque, refoulant sa peine, et d'avoir résolu alors, dans sa tête d'enfant, de ne jamais s'attacher à quiconque puisque la séparation était *trop* douloureuse. Mais le coeur a des raisons que la raison ne connaît pas. Thérèse était devenue une belle jeune fille et s'était progressivement liée d'amitié avec un jeune homme qui l'aimait beaucoup. Depuis ce temps, l'angoisse l'habitait, divisée qu'elle se trouvait entre son affection pour Jean et sa peur de souffrir un autre martyre comme celui de ses treize ans, si elle venait à le perdre. Notons bien qu'elle ne redoutait pas que Jean la quittât pour une autre; elle avait assez confiance en elle-même et dans son charme pour ne pas penser à cela. Elle avait connu également d'autres jeunes hommes avant Jean et savait qu'elle était attirante. Sa peur portait bien sur la séparation éventuelle d'avec Jean par la mort.

Si on s'y attarde un peu, comme je le fis avec Thérèse, il apparaîtra que sa peur était causée par les raisonnements suivants:

1. tout être que j'aime est susceptible de m'être à tout moment enlevé par la mort;

2. quand j'avais treize ans, mes parents sont décédés et cette mort m'a causé beaucoup de souffrance;

3. si la même chose arrivait avec Jean, je ressentirais une peine telle que je ne pourrais pas la supporter;

4. comme cette peine serait insupportable, il ne me reste aucun choix que d'éviter ce qui la provoquerait et donc d'éviter d'aimer Jean;

5. par ailleurs, je suis attirée par Jean, tout en ne voulant pas l'être, et voilà mon malheur, je ne puis être que malheureuse si je m'attache à lui et malheureuse si je m'en sépare; dans un cas comme dans l'autre, je suis prisonnière du malheur.

Un peu d'analyse de ces raisonnements fera apparaître qu'ils forment un mélange de pensées rationnelles et de pensées irrationnelles.

La première pensée représente une constatation exacte et lucide de la réalité. Formulée en ces termes, elle est indiscutablement vraie.

Dès le deuxième argument, la pensée irrationnelle commence à s'infiltrer. Il est en effet inexact d'affirmer que c'est la mort de ses parents qui avait *causé* la peine de Thérèse à l'époque. Cette peine avait été *occasionnée par leur décès, mais causée* par les pensées et la perception de Thérèse. Comme il était difficile et probablement inutile de tenter de retracer les pensées exactes qui avait habité son esprit dix ans auparavant, et comme d'ailleurs l'anxiété *présente* de Thérèse n'était pas causée par le décès de ses parents ou par ses souvenirs à ce sujet, mais bien par ses pensées présentes, il ne m'apparut pas utile de procéder à une confrontation plus poussée de cette deuxième pensée.

Le troisième argument est presque totalement irrationnel. Il était probable que Thérèse ressentirait de la peine si jamais Jean décédait, mais cette peine serait encore causée par ses idées à l'occasion de ce décès. De plus, et de façon encore plus importante, son affirmation que cette peine serait si intense qu'elle ne saurait alors la supporter constituait une prophétie sans aucune base démontrable dans la réalité. C'était la pensée principale qui entraînait à sa suite l'angoisse de Thérèse. Comme cette pensée était manifestement irrationnelle, c'est sur elle que je concentrai mes efforts de confrontation et que j'engageai Thérèse à appliquer les siens.

La mort d'un être humain, même d'un ami ou d'un époux auquel on est très attaché, ne constitue *jamais* un événement insupportable, puisque de tels événements *n'existent pas,* sauf dans le domaine physique. Il peut être exact de dire que je ne peux pas supporter une chaleur de 500 degrés, puisqu'il est clair que mon organisme physique ne peut pas résister longtemps à un tel assaut. Mais *dire* et *croire* que je ne peux pas supporter la mort d'un être aimé, ou supporter d'être rejeté par les autres, ou de ne pas être aimé, ou de connaître des échecs de toute sorte constitue une affirmation gratuite et sans fondement. Marc-Aurèle le disait déjà il y a des siècles:

> Tout ce qui arrive, ou bien arrive de telle sorte que tu peux naturellement le supporter, ou bien que tu ne peux pas naturellement le supporter. Si donc il t'arrive ce que tu peux naturellement supporter, ne maugrée pas; mais, autant que tu en es naturellement capable, supporte-le. Mais s'il t'arrive ce que tu ne peux pas naturellement supporter, ne maugrée pas, car cela passera en se dissolvant. Souviens-toi cependant que tu peux naturellement supporter tout ce que ton opinion est à même de rendre supportable et tolérable, si tu te représentes qu'il est de ton intérêt ou de ton devoir d'en décider ainsi.
>
> *(Marc-Aurèle, livre X, 3)*

Quant au quatrième argument, comme il repose entièrement sur le troisième, il en partage la fausseté et l'irréalisme.

La conclusion que constituait le cinquième argument s'écroulait, elle aussi, du même coup. Thérèse n'était pas prisonnière du malheur, mais bien de ses idées. Mais elle était une prisonnière qui a dans la poche la clef de sa prison, sans le savoir. Je considère que c'est mon rôle comme thérapeute de montrer à ceux que je rencontre qu'ils possèdent cette clef, et de leur enseigner comment s'en servir. Je ne puis ouvrir la cage à leur place et ils sont les seuls à pouvoir le faire. Je trouve toujours tragique que certains d'entre eux n'arrivent pas à constater leur pouvoir sur leurs propres émotions ou refusent de se servir de la clef qu'ils ont découverte et persistent à chercher en moi ou en d'autres le remède aux angoisses qui les tenaillent. Ils me quittent souvent, amers et désappointés, portant toujours avec eux cette clef qu'ils refusent d'utiliser, responsables de leur malheur comme ils le seraient de leur bonheur.

C'est malheureusement ce qui arriva pour Thérèse. Après avoir cru que j'arriverais à la délivrer de son angoisse et de son ambivalence par je ne sais quelle alchimie psychologique, espérant toujours un miracle qui la délivrerait de ses difficultés sans qu'elle mit la main à la pâte, elle décida d'interrompre nos rencontres et de s'adresser à un autre thérapeute. J'espère que ce dernier aura eu plus de succès que moi à lui faire saisir la manière de s'y prendre pour éliminer sa peur, mais je sais aussi que cela ne sera pas possible tant qu'elle ne se décidera pas à chasser de son esprit les idées irrationnelles qui l'encombrent. Qu'elle y parvienne sur le divan du psychanalyste, dans le silence de la méditation trancendantale ou en poussant le "cri primal" n'a qu'une importance accessoire. Seul le résultat compte et la venue de la sérénité chez elle coïncidera toujours avec le départ de ses raisonnements erronés.

Chapitre XXIII

Ulric, ou la peur de changer

Dans ce chapitre, je ne traiterai pas de la peur que ressentent beaucoup de gens devant les changements extérieurs qui s'imposent à eux. Je veux parler plutôt de cette peur que certains ressentent devant la possibilité de se changer eux-mêmes, de changer leur mentalité, leur philosophie de vie, leurs habitudes, leurs pensées.

Il est surprenant de constater combien de gens trouvent tout changement personnel anormal et menaçant. C'est comme s'ils croyaient que leurs prémisses de base ne doivent en aucune manière être modifiées, comme s'ils craignaient de ne plus se reconnaître, d'être dépersonnalisés s'ils changeaient la moindre chose à ces prémisses. A les croire, ils ont toujours pensé les mêmes choses et agi de la même manière, ce qui est, la plupart du temps, manifestement inexact.

Selon ces personnes, c'est le monde et les autres qui doivent s'adapter à elles. Elles sont souvent affectées d'une illusion particulièrement répandue qui consiste à se prendre pour une personne spéciale, exceptionnelle, méritant un traitement de faveur de la part des choses et des gens. A leur avis, leur situation exceptionnelle, leurs traits particuliers ou les circonstances spéciales de leur vie leur donnent le droit d'exiger que la réalité fasse pour elles des exceptions et que leurs congénères humains agissent de façon particulière envers elles.

A des degrés divers, cette illusion nous affecte tous à certains moments. Qui d'entre nous n'a pas pensé que l'autobus *devrait* rouler plus vite parce qu'il allait rater un rendez-vous, et qui n'a pas proclamé qu'il *devrait* faire beau parce qu'il projetait de faire une balade? Quoique ces idées soient stupides, si elles n'occupent qu'occasionnellement l'esprit, elles ne produisent que des impatiences ou des irritations passagères. Il n'en est pas de même quand elles sont devenues parties intégrantes d'une philosophie de la vie. Tout appel au changement évoque alors une vive anxiété, accompagnée habituellement d'une hostilité également vive envers celui qui propose le changement.

C'était cette philosophie qui formait la base du système de pensée d'Ulric. Il se plaignait de ne pas être compris par sa femme. Il la blâmait de n'entretenir avec lui que des relations superficielles et de repousser toute tentative de sa part d'arriver à un accord plus profond. A l'entendre, leur mariage établissait pour lui un titre à une relation profondément enrichissante à laquelle, selon lui, son épouse s'était toujours refusée. Ulric se proclamait frustré de ses justes droits et déclarait ne pas mériter un tel traitement, lui qui entourait sa femme d'une affection sans partage. Je l'ai écouté pendant bien des heures dresser le catalogue des injustices de sa femme à son égard. Ce catalogue n'était d'ailleurs guère nouveau pour moi, puisque je passe une partie appréciable de mon temps à entendre des êtres humains se plaindre des autres, qu'on me répète sans cesse des phrases comme: "Je suis gentil avec elle, que ne l'est-elle avec moi...?", "Je salue bien mes camarades quand j'arrive au travail, ils devraient au moins me rendre la pareille...", "J'ai donné du temps et de l'argent à Ubald; je mérite sa reconnaissance...", "Après tous les efforts que j'ai faits pour éduquer mes enfants, je mérite bien qu'ils prennent en considération mes désirs légitimes..."

La vérité toute nue est que nous ne méritons rien, ni le bonheur ni le malheur, ni la considération ni le mépris, ni l'amour ni le rejet, ni le succès ni l'échec, ni la vie ni la mort. Il n'est *pas* dans l'ordre des choses que celui qui aime soit aimé, ni que celui qui travaille connaisse le succès, ni que celui qui est plein d'égards reçoive le même traitement, pas plus qu'il n'arrivera que celui qui déteste soit haï, ni que celui qui tue soit tué, ni que celui qui est paresseux ne connaisse pas le succès. Mais alors, il n'y a pas de justice! Si, par justice, vous voulez entendre que celui qui pose certains gestes et agit d'une certaine manière *devrait* être traité de façon correspondante, et qu'il est justifié de crier à l'injustice quand cela ne se produit pas, alors la justice n'existe pas et je ne vois pas pourquoi elle *devrait* exister. Les choses sont comme elles sont, les gens agissent comme ils agissent, et *il n'y a pas de raison que les choses soient ou que les gens agissent autrement.*

L'écrivain ancien Xénophon rapporte, dans son *Apologie de Socrate,* comment, après avoir été condamné à mort par le tribunal, Socrate se retirait de la salle d'audience au milieu des pleurs de ses amis qu'il s'efforçait de consoler en leur rappelant que, de toute façon, il avait été condamné à mort par la nature dès sa naissance.

Il y avait là un certain Apollodoros, fortement attaché à Socrate, homme simple du reste, qui lui dit: "Pour moi, Socrate, ce qui me fait le plus de peine, c'est de te voir mourir injustement." Socrate, dit-on, lui passant la main sur la tête, lui répondit: "Très cher Apollodoros, aimerais-tu donc mieux me voir mourir justement qu'injustement?" Et là-dessus, il se mit à rire.

Nul d'entre nous n'est une personne "spéciale" et ce n'est pas parce que quelqu'un a été malheureux pendant une partie de sa vie qu'il peut se considérer pour autant comme ayant droit à une part de bonheur plus tard. Il n'y a tout simplement pas de lien réel entre le malheur passé et un bonheur mérité, sauf celui que nous inventons nous-mêmes dans notre esprit.

Le langage et la pensée de presque tous les êtres humains sont imprégnés de cette notion absurde. "Après tant d'efforts, il a bien mérité de se reposer...", "Son altruisme et son dévouement lui ont mérité la gratitude de ses concitoyens...", "Par sa méchanceté et son égoïsme, elle a bien mérité d'être rejetée et abandonnée de tous...". Autant de notions métaphysiques sans fondement démontrable. La vérité est que si quelqu'un fait des efforts, *il est plus probable* qu'il connaîtra le succès que s'il se croise les bras. Il est aussi *plus probable* que quelqu'un sera aimé s'il aime lui-même les autres, puisque les êtres humains, *en général,* sont plus portés à aimer ceux qui les aiment que ceux qui les détestent. Mais une *probabilité* ne constitue ni un *droit* ni un *titre*. Chacun d'entre nous agit entièrement à sa guise et n'est obligé à rien. Parce qu'une personne *s'attend* à être appréciée ou aimée à la suite de son propre amour des autres, il ne s'ensuit pas qu'elle puisse *avec raison* s'indigner de l'ingratitude ou du rejet de ces mêmes autres. Il sera bien suffisant qu'elle soit frustrée, comme nous le sommes tous, à chaque fois qu'un événement que nous désirons ne se produit pas ou qu'un autre que nous redoutons nous arrive. Nous avons le droit entier de vivre comme nous l'entendons, mais nous ne pouvons prétendre *avec raison* à aucun droit sur les choses ou les gens. Des expressions comme: "A juste titre", "A bon droit" n'ont donc aucun sens; elles ne correspondent à rien qui soit effectivement présent dans la réalité. C'est encore un exemple de la façon dont nous nous y prenons pour déformer le réel par notre pensée et inventer des lois et des obligations pour nous ou pour les autres, sans pouvoir jamais justifier la présence réelle de ces lois et de ces obligations.

Qu'exiges-tu de plus, si tu as fait du bien à quelqu'un? Ne te suffit-il pas d'avoir agi selon ta nature, mais cherches-tu encore à en être payé? C'est comme si l'oeil exigeait une récompense pour voir, et les pieds, pour marcher.

(Marc-Aurèle, IX, 42)

A mon libre choix, la liberté de choix de mon prochain est aussi indifférente que peuvent l'être et son souffle et sa chair. Si nous avons été créés le plus possible les uns pour les autres, le principe directeur de chacun de nous n'en possède pas moins sa propre indépendance. S'il en était autrement, la vie d'autrui deviendrait mon mal. Mais Dieu ne l'a pas voulu, afin qu'il ne fût pas au pouvoir d'un autre de causer mon malheur.

(Marc-Aurèle, VIII, 56)

Ulric, comme probablement vous qui me lisez, était bien loin de penser de cette façon. Quand je l'engageais à changer ses idées et sa façon de voir les choses pour ainsi se rapprocher davantage de la réalité, il protestait qu'il n'était pas pour abandonner sa philosophie de vie, que cela était impossible et que c'était aux autres de changer la leur, sans se rendre compte qu'il exigeait des autres ce que lui-même refusait de faire et qu'il jugeait possible pour eux ce qu'il s'entêtait à proclamer impossible pour lui-même.

Sa peur de changer ses idées et ses comportements, d'abandonner ses récriminations contre son épouse semblait reposer sur l'idée que s'il se consacrait à ce changement, il perdrait son privilège de personne "spéciale" et se retrouverait confondu dans la masse anonyme des gens "ordinaires". Il n'arrivait pas à se persuader du fait que tout le monde est "ordinaire", en ce sens que nul être humain n'a plus de valeur intrinsèque qu'un autre. Autant certaines personnes se dépriment en se décernant à elles-mêmes une valeur moindre qu'à leurs congénères, ce qui est tout simplement illogique, autant Ulric mettait sa sécurité dans l'illusion qu'il différait pour le mieux du commun des mortels, ce qui était tout autant irrationnel. Il préférait souffrir "à bon droit", tout en pestant contre l'"injustice" de sa femme, que d'abandonner ses droits illusoires pour vivre en paix avec elle en cessant d'exiger d'elle ce qu'elle n'était pas disposée, ou peut-être même capable de lui donner. Il est bien clair, par ailleurs, qu'en abandonnant ses idées d'injustice et de mérite, Ulric n'aurait probablement pas connu le bonheur parfait avec sa femme, pas plus qu'avec aucune autre, tant que son *désir* de relations plus approfondies et intimes aurait subsisté, mais il aurait pu au moins s'épargner un supplément de tristesse et d'hostilité qui n'étaient pas les fruits de son *désir,* mais de ses *exigences.*

Chapitre XXIV

Viviane, ou la peur de se tromper

Viviane avait peur de se tromper en presque tout. Faire la cuisine était pour elle un supplice parce qu'elle avait peur de mal suivre les recettes; elle avait peur de prendre le volant de sa voiture parce qu'elle croyait qu'elle se perdrait sûrement dans le dédale des rues de son quartier; chez le boucher, elle avait peur de ne pas employer les bons mots pour demander ce qu'elle voulait. Il ne faut donc pas s'étonner qu'elle ait été aussi possédée de la crainte de se tromper d'une autre manière encore, celle qui consiste, pour les personnes que je finis par persuader de s'adonner à la confrontation, à craindre de s'écarter de la vérité et de tomber dans l'erreur en raisonnant de travers.

L'argument que me servent ces personnes est à peu près le suivant: "Comment ne me tromperais-je pas, moi, pauvre ignorant et peu cultivé, en essayant de cerner la vérité, alors que tant d'autres personnes plus intelligentes, plus instruites, plus "capables" que moi se sont trompées, semble-t-il, dans cette même recherche?" Quand je les engage à raisonner par elles-mêmes, elles se rabattent sur des arguments d'autorité, me citant sans fin la pensée et les opinions d'autres personnes. Si je les engage à se poser des questions simples, elles me répondent par des phrases toutes faites, dites et redites des milliers de fois par des milliers d'individus, mais qui ne deviennent pas pour autant vraies.

Il me semble que je puis dire qu'une pensée est peut-être vraie, c'est-à-dire correspond à une réalité possible, quand elle ne contient pas de contradictions internes. Ceci n'équivaut pas à dire que tout ce qui est *possible* existe en *réalité,* mais il est clair que ce qui est contradictoire en lui-même ne saurait subsister dans la réalité externe. Ainsi, si j'affirme au moment où j'écris cette page qu'actuellement, au stade olympique, on vient de battre le record mondial au saut à la perche, j'affirme une chose *possible,* mais incertaine pour moi puisque j'ignore actuellement les résultats de cette compétition. D'autre part, si j'affirme qu'actuellement au stade olympique, un athlète vient de réussir à se mettre debout tout en restant assis, il est clair que j'affirme une chose non seulement incertaine, mais radicalement impossible, puisque contradictoire en elle-même. J'ai choisi un exemple simpliste à dessein, mais cette même contradiction se retrouve aussi nettement dans des phrases comme: "Je ne peux plus supporter ma femme... Je ne suis pas capable de lui parler... Elle fait des gaffes impardonnables... Ephrem est un homosexuel... Il mérite la mort... Son comportement est intolérable... Je ne changerai jamais... J'ai besoin d'être aimé... Il faut que j'aille à Québec..." Et des milliers d'autres de la même farine.

Il me semble qu'il n'est tout de même pas terriblement difficile pour quiconque de distinguer le vrai du faux dans de tels énoncés, à condition de bien vouloir accorder quelque confiance à son esprit et ne pas demeurer captif des préjugés les plus évidemment stupides. Parmi ces préjugés, se classe la notion qu'on s'expose à on ne sait quelle condamnation si on s'avise de se servir de son propre esprit pour penser plutôt que de sa seule mémoire pour rabâcher les pensées des autres, fussent-elles celles d'hommes que l'on considère comme illustres.

Je suis frappé de constater combien de personnes ne semblent jamais avoir pensé par elles-mêmes de toute leur vie. Leur éducation et leur culture leur ont si bien appris à *écouter* et à *répéter* qu'elles en sont venues à se défier totalement de leur jugement propre. Comme beaucoup de choses stupides et contradictoires ont été affirmées avec autorité par beaucoup de personnes illustres et renommées, qui les ont souvent d'ailleurs affirmées non pas parce qu'elles étaient elles-mêmes persuadées de leur vérité, mais plutôt dans l'intention de sauvegarder un ordre établi ou de faire marcher la populace d'une manière qui les accommodait, il s'ensuit qu'un nombre impressionnant de "bêtises illustres" sont mises en circulation chaque jour et avalées docilement par des esprits s'attardant plus aux noms et aux titres des propagandistes qu'à la cohérence interne de leurs propos. Pour ces dévots, c'est un sacrilège de soumettre à un examen critique une seule phrase de leur Bible, qu'il s'agisse de la Bible chrétienne, du *Capital* de Marx, du petit *Livre rouge* de Mao, ou des oeuvres de Freud. "Ne pensez pas... Vous pourriez vous tromper. Croyez plutôt car ainsi, si vous croyez une bêtise, vous n'en serez pas responsable et nul ne pourra vous reprocher d'avoir été abusé de bonne foi... D'ailleurs, penser est bien fatigant, et d'autres sont plus habiles que vous à le faire... Epargnez-vous ces efforts: tant d'esprits lucides et éclairés vous ont précédé: fiez-vous à eux." Quel repos que d'avoir un pape infaillible, comme c'est commode, que son nom soit Pierre ou Paul, Karl ou Sigmund, René ou Fidel, Dupont ou Dubois!

Eh! bien, non. Je crois tout au contraire que chaque adulte est responsable de ses croyances et du dégât éventuel qu'elles causent à sa vie. Pour les enfants, c'est autre chose. Ils ont l'esprit encore trop peu développé pour se garder des sottises qu'on leur propose. Mais l'âge adulte se caractérise par le développement de cet esprit et l'accession à une pensée critique. Et n'allez pas me dire que vous êtes trop sot ou trop peu instruit pour procéder à la critique de vos idées. C'est ce que me disent parfois certains de mes consultants, quand ils ne peuvent répondre aux objections que je leur formule. Plutôt que d'admettre qu'ils se trompent et que certaines de leurs croyances sont irrationnelles, ils me disent qu'ils ont quand même raison, mais qu'ils ne sont pas assez brillants pour me le démontrer. C'est l'argument suprême, mais il ne colle pas. Si vous êtes assez brillant pour vérifier votre monnaie au magasin et assez éclairé pour ne pas vous tromper de ligne de métro, vous avez tout ce qu'il faut pour distinguer le vrai du faux et penser par vous-même.

Malgré tout, il peut bien arriver que vous vous trompiez. Et après? Il se peut que vos erreurs entraînent des conséquences négatives pour vous et cela est bien dommage. Mais n'allez pas inventer je ne sais quel châtiment métaphysique qui s'abattrait sur vous en conséquence de vos erreurs. Et surtout n'allez pas croire à un enfer dans lequel un dieu stupide vous plongerait pour l'éternité "pour vous apprendre à faire des erreurs!" Accordons à Dieu au moins autant d'intelligence et de jugement qu'à la moyenne des humains!

A la peur de se tromper, il n'y a finalement pas d'autre réponse que le courage de penser et d'examiner pour soi-même la réalité. Répéter peureusement les dogmes d'un maître ne mène qu'à l'esclavage et souvent à la bêtise.

Viviane n'avait pas beaucoup de culture livresque. Elle n'avait guère fréquenté l'école et son travail de serveuse de restaurant ne lui laissait pas beaucoup de loisir pour lire les encycliques. Mais en-dessous du fatras d'idées préconçues et de préjugés gratuits qui encombraient son esprit survivait la petite flamme du bon sens. C'est cette étincelle qui se mit à grandir et à se développer en un feu clair et vif à mesure qu'elle se débarrassait de ses idées et de ses préjugés. Elle finit par comprendre qu'elle risquait plus de se tromper en se fiant à Pierre, Jean ou Jacques qu'en se fiant à elle-même. J'ai connu moins de succès avec des professeurs d'université et des intellectuels dont l'esprit était pollué par des croyances idiotes mais sophistiquées, et qui n'avaient que dédain pour des vérités simples, claires, aisément accessibles.

Chapitre XXV

Wilfrid, ou la peur
de perdre le contrôle

La peur de perdre le contrôle se manifestait chez Wilfrid sous deux aspects: il avait peur de perdre le contrôle de lui-même et il avait peur de ne pas réussir à contrôler les autres.

Wilfrid était possédé par le démon du perfectionnisme. Rien n'était jamais assez bon pour lui, même ce qu'il faisait lui-même. Agé de quarante ans, il travaillait dans un bureau d'experts en génie et, par son emploi, était souvent appelé à collaborer avec des collègues à l'intérieur d'équipes de travail. Les réunions d'équipes et les séances de travail en groupe le terrifiaient, car il redoutait sans cesse ou de ne pas être à la hauteur de la situation ou que son leadership soit contesté. Il faisait aussi la vie dure à ses secrétaires, vérifiait minutieusement tout le détail de leur travail et prenait des airs peinés s'il y découvrait une erreur. Ainsi, il ne faut pas s'étonner qu'il ait changé fréquemment de secrétaire et que ses collègues aient trouvé souvent désagréable de travailler avec lui, tant il s'entêtait dans son point de vue, même quand il avait manifestement tort.

Sur le plan personnel, Wilfrid avait appris depuis sa tendre enfance à refouler massivement l'expression de ses émotions. Habité souvent de sentiments hostiles, mais convaincu qu'un homme de bien ne doit jamais laisser paraître ce qu'il ressent, il ne se fâchait que rarement, mais de façon spectaculaire et la violence même de ces rares explosions lui était un autre motif de peur. Pour fuir les pensées hostiles qui le terrifiaient, il avait développé toute une série de moyens compulsifs. Ainsi, sans s'en apercevoir, il comptait et recomptait les briques d'un mur, les lignes d'une page, les livres disposés sur une étagère. Cette manie lui était une autre occasion de peur, car il croyait qu'elle indiquait chez lui une prédisposition à la "maladie" mentale.

Wilfrid déclarait ne ressentir que peu d'anxiété, mais il est clair que, comme ses autres émotions, il avait soin de la cacher et de s'efforcer de n'en rien laisser paraître. Il consentait seulement à se dire nerveux et un peu tendu et attribuait ces phénomènes à un surcroît de travail. Cette explication n'était cependant pas satisfaisante, puisqu'il était tendu même pendant ses vacances, ce qui se comprend bien car alors, il redoutait de ne pas contrôler minutieusement le déroulement des journées et les activités familiales, surtout durant une période où la plupart des gens laissent de côté les encadrements de leur vie quotidienne ordinaire et "prennent du bon temps". Pour Wilfrid, le seul "bon temps" qu'il connût était celui où il contrôlait tout.

Au cours de nos premières entrevues, nous en vinmes à parler de la façon dont il envisageait sa vie dans son ensemble et de ce qu'il prévoyait vivre au cours des années à venir. Il avait décidé de travailler jusqu'à soixante ans, ne prenant que quelques jours de vacances inévitables chaque année, accumulant ainsi le plus possible d'argent à la banque, puis de se retirer et de consacrer alors son temps à voyager et à se reposer. Entre-temps, il entendait vivre de façon spartiate, se levant tôt, se couchant tard, et trimant sans relâche. Le repos viendrait plus tard.

Ce plan de vie évoque dans mon esprit le dialogue que rapporte Plutarque dans ses *Vies des hommes illustres* et qui met en scène le roi Pyrrhus et le philosophe Cinéas, disciple d'Epicure. Le philosophe demande au roi comment il entend passer les prochaines années de sa vie. Le roi répond qu'il entend conquérir d'abord l'Italie, puis la Sicile, puis Carthage et finir par reconquérir la Macédoine. "Et alors, de demander le philosophe, que feras-tu de ta vie?""Alors, répond le roi, nous aurons beaucoup de loisirs et, coupe en main, nous coulerons d'heureux jours en d'amicales conversations, et nous

nous réjouirons." Et Cinéas de répliquer: "Pourquoi pas dès maintenant?" (Rodis-Lewis, *Epicure et son école)*

Il me semblait que Wilfrid, possédé par sa peur de ne pas tout contrôler, y compris son avenir, en oubliait de vivre le moment présent qui, irrémédiablement, lui coulait entre les doigts, au profit d'un futur dont il ne savait même pas s'il l'atteindrait.

Je tentai de faire comprendre à Wilfrid que son exigence de contrôle total et parfait sur lui-même, les autres et l'univers était irrationnel. Un moment de réflexion permet de saisir qu'en réalité, nous ne contrôlons presque rien qui soit vraiment important. Le déroulement du temps, l'heure de notre disparition, les actes et surtout les pensées des autres, la pluie et le beau temps, l'enchaînement des saisons, tout cela échappe complètement à notre contrôle. Le dictateur le plus puissant, entouré de sa garde et à la tête de ses armées équipées des moyens les plus modernes doit s'incliner devant la mort, et ses plans les plus soigneusement étudiés sont à la merci d'une minuscule défaillance technique, d'une banale erreur humaine, d'une variation de température de quelques degrés. C'est Alexandre, terrassé par les fièvres à trente-trois ans, après avoir mené ses armées à la conquête de l'univers. C'est Napoléon et Hitler, vaincus en Russie par le "général Hiver"; c'est John Kennedy dont la boîte crânienne, tout président des USA qu'il fût, n'a pas résisté aux balles de son assassin.

Wilfrid pouvait bien, comme tant d'autres, déplorer sa faiblesse humaine et tenter de la compenser par un surcroît de soins et de travail mais, pas plus que quiconque, il n'arriverait à une maîtrise de lui-même et des autres qui pût le satisfaire. Faute de pouvoir contrôler les choses vraiment importantes, il se rabattait sur des détails insignifiants, persécutant ses secrétaires, sa femme et ses enfants, accordant à des vétilles une importance démesurée, comme ce recteur d'une institution d'enseignement que j'ai connu qui, faute de pouvoir contrôler son personnel et les étudiants de l'institution, arpentait le soir les corridors de la maison en fermant les interrrupteurs oubliés.

D'autre part, Wilfrid, comme nous l'avons vu, avait aussi peur de perdre le contrôle de lui-même et avait élaboré pour s'en assurer des rituels compulsifs variés. Il est clair qu'une bonne part de l'hostilité qu'il s'épuisait à réprimer venait justement de son désir exagéré de contrôler les autres. Comme, bien entendu, il n'y parvenait pas la plupart du temps, il passait son temps à rager intérieurement. Le vrai remède ne consistait donc pas à lui conseiller de ventiler son hostilité, de lui apprendre à l'exprimer en jouant au football ou en abattant des arbres. Ces soupapes sont parfois utiles, quand la pression atteint un point dangereux, mais, comme pour une chaudière, c'est le feu qu'il s'agit de réduire et non pas le nombre de soupapes qu'il faut augmenter si l'on veut vraiment régler le problème. Et, chez Wilfrid comme chez tout le monde, le feu qui faisait monter la pression était constitué par ses propres idées irrationnelles. Ce n'était pas la réalité qui l'irritait, c'étaient les idées qu'il nourrissait dans son esprit. Ce n'était pas parce que ses collègues contestaient ses positions, que sa femme n'était pas prête à l'heure dite pour aller au concert ou qu'elle refusait de porter le maillot de bain qu'il avait choisi pour elle, ni parce que ses enfants préféraient les hamburgers aux crevettes à la diable, que Wilfrid se mettait intérieurement en colère, mais bien parce qu'il *exigeait* despotiquement que tout le monde marche à *son* pas.

Ce ne fut pas un mince travail que d'amener Wilfrid à extraire ces idées de son cerveau, tant il s'était habitué depuis des années à rechercher sa sécurité dans un contrôle illusoire de tout ce qui l'entourait. Pour changer cette philosophie, il lui fallait renoncer à vivre sans aucun risque, en se fiant à lui-même tout en se reconnaissant fragile et changeant. Ce fut cependant la réalisation que sa vie lui échappait pendant qu'il faisait de vains efforts pour la contrôler qui l'amena progressivement à changer. Ce changement ne se produisit pas sans de fort nombreuses confrontations, poursuivies pendant des mois. Mais le résultat en valait la peine.

Aujourd'hui, Wilfrid passe une vie plus agréable, plus détendue. Les maux d'estomac qui le tourmentaient sont disparus et il peut mieux jouir tout de suite de cette vie qui jamais ne revient en arrière et dont la suite est incertaine. Il a renoncé à conquérir la Grèce, la Sicile et la Macédoine avant de s'accorder de vivre.

Chapitre XXVI
Xaviera, ou la peur de
la souffrance physique

Je ne parlerai pas longtemps de cette peur. Chacun de nous a l'expérience de la souffrance physique et il faut bien reconnaître que quand ça fait mal, ça fait mal! Une grande partie de l'ingéniosité humaine a été déployée justement à trouver des moyens de diminuer cette soufrance et nous devons nous féliciter de ne pas vivre à l'époque où l'on procédait aux opérations sans autre anesthésie qu'un bon coup de rhum ou un bon coup de poing à la mâchoire.

Quoique la souffrance physique soit inséparable de la vie humaine et même s'il est légitime de remarquer qu'elle remplit souvent une position utile en nous avertissant que tout ne tourne pas rond dans notre organisme, il est néanmoins évident que nous augmentons inutilement cette soufrance par la manière dont nous y pensons. L'imagination, qui peut ici nous jouer de sales tours en nous meublant l'esprit d'images et de pensées affreuses qui viennent augmenter la souffrance, peut aussi être utilisée de telle sorte que la souffrance devienne plus supportable. Chacun a entendu parler de ces dentistes qui emploient l'hypnose pour tout anesthésique et qui, en amenant leurs patients à concentrer leur esprit sur un objet neutre, les empêchent du même coup de ressentir toute souffrance. Ces procédures n'ont rien de magique ni de surnaturel, mais démontrent clairement la puissance de nos pensées, non seulement sur nos émotions, mais même sur nos sensations physiques. Qui de nous n'a pas constaté qu'un violent mal de tête n'était plus ressenti quand l'attention de celui qui en est affecté est détournée vers un objet qui l'intéresse et le captive. Et, au contraire, celui qui ne pense pas à autre chose qu'à sa douleur et se concentre sur elle ne fait que l'augmenter et la ressentir plus vivement. Dans un livre récent, *The behavioral management of anxiety, depression and pain,* Meichenbaum et Turk rapportent ce qui suit à propos du philosophe Kant.

> Depuis un an, j'avais été troublé par un état morbide et des douleurs très vives dont je conclus, en me fiant aux descriptions de tels symptômes, qu'elles étaient dues à la goutte et à propos desquelles je consultai un médecin. Une nuit, cependant, exaspéré de ne pouvoir dormir à cause de la douleur, je me servis du moyen stoïcien consistant à concentrer mon esprit sur un autre sujet, comme, par exemple, sur le nom de "Cicéron" et sur toutes les pensées qu'il évoquait par association. De cette manière, je réussis à faire dévier mon attention, et la douleur s'en trouva très amoindrie...A chaque fois que ces attaques reviennent troubler mon sommeil, je trouve ce remède très utile.

Les deux mêmes auteurs rapportent aussi une longue suite d'expériences auxquelles ils ont procédé et qui démontrent le pouvoir considérable des contenus cognitifs sur l'allègement de la souffrance physique. Ils décrivent ainsi une procédure par laquelle ils réussissent à "inoculer" des gens contre la souffrance physique, à la manière du vaccin contre la variole dont l'usage permet de ne pas contracter la maladie elle-même. Cette procédure est entièrement psychologique et consiste en gros à apprendre à un être humain à utiliser sa pensée pour se défendre contre la douleur. Il est amusant de constater que la procédure technique employée par ces chercheurs contemporains ne constitue qu'une élaboration de recommandations formulées il y a des siècles par les penseurs épicuriens et stoïciens et, plus près de nous, au dix-septième siècle, par le philosophe Baruch Spinoza.

La pensée de ces philosophes peut se résumer à la considération qu'aucune souffrance physique n'est intolérable puisque, comme le souligne Epicure, c'est la mort et donc, l'absence de toute douleur, qui intervient pour limiter la souffrance. De deux choses l'une, dit-il: ou la souffrance sera longue, mais faible, donc supportable, ou elle sera intense, mais alors forcément brève puisque menant à la dissolution de l'être. Je sais bien que de telles pensées ne font pas disparaître une rage de dents, mais au moins, elles peuvent vous aider à ne pas vous faire souffrir plus qu'il n'est inévitable, par l'anxiété et la peur.

Il est utile aussi de vous souvenir que la fuite peureuse et douillette de toute douleur physique risque de vous causer de sérieux inconvénients, comme presque toutes les fuites d'ailleurs. Si, pour éviter la souffrance passagère d'un examen gynécologique, vous laissez une tumeur se développer dans votre utérus, vous risquez de souffrir encore plus par la suite. Remarquez bien que je ne parle ici que de la douleur physique entraînée par l'examen, car tout le reste: gêne, malaise, pudeur, est entièrement le résultat de vos idées stupides, que vous feriez mieux de confronter.

Faites-en l'essai vous-même, comme j'engageai Xaviera à le faire. Comme la plupart d'entre nous, elle n'avait pas continuellement peur de souffrir physiquement. C'est seulement quand elle savait qu'elle souffrirait probablement qu'elle se mettait à trembler. Or, pendant la période où nous nous rencontrions, elle dut faire face à une visite chez le dentiste pour l'extraction d'une dent de sagesse mal placée. Je parvins à la convaincre de se répéter à elle-même la vérité, que se faire extraire une dent comporte une douleur assez intense, mais brève, et je l'engageai à occuper son esprit, pendant que le praticien opérerait, à des pensées absorbantes et agréables, distrayant son esprit des gestes du dentiste et de l'environnement constitué par son cabinet. Je consacrai une de nos rencontres à lui permettre de s'exercer à penser à volonté à ses prochaines vacances en Espagne, au plaisir qu'elle aurait alors, aux plages blondes de la Costa del Sol et aux corridas auxquelles elle projetait d'assister.

Cette procédure donna de bons résultats. Xaviéra déclara par la suite avoir ressenti beaucoup moins d'anxiété et même de douleur qu'elle n'en avait éprouvé lors de ses visites antérieures au dentiste. C'est simple, c'est gratuit et ça produit de bons effets. Enfin, ça ne vous coûtera rien d'essayer!

Chapitre XXVII
Yves, ou la peur de Dieu

Elle a ses lettres de noblesse, cette peur, et elle peut se réclamer d'une ancienneté qui dépasse peut-être celle de toutes ses compagnes. Depuis que l'homme de Cro-Magnon a tenté de se concilier par ses sacrifices et des rites magiques les esprits qu'il imaginait présider à l'orage, à la chasse et à la mort jusqu'à l'athée contemporain suant d'anxiété sur son lit de mort, les choses n'ont pas beaucoup changé.

Je ne veux pas ici écrire un traité de théologie. Je n'en ai ni la compétence, ni le temps, ni le goût. Bien d'autres l'ont fait avant moi, avec plus ou moins de bonheur, car c'est une vraie manie de l'homme que de se tourmenter l'esprit à propos de choses qu'il ne connaît pas. Je veux seulement dresser un inventaire, forcément incomplet, des idées fausses qui me semblent les plus pernicieuses dans ce domaine et essayer de montrer leurs contradictions internes pour tenter d'établir la conclusion qu'un être humain n'a aucune raison d'éprouver de la peur et de l'anxiété à propos de Dieu. Ce sera surtout du Dieu des chrétiens dont je parlerai, car somme toute, il m'apparaît plus vraisemblable que Mardouk, Quetzalcoatl ou Lénine.

Comme c'est souvent le cas, les idées fausses à propos de Dieu prennent leur origine dans les croyances enfantines. La mère qui dit à son fils de ne pas taper sa petite soeur parce que cela "fait de la peine au petit Jésus" sème déjà les germes d'une conception irrationnelle de Dieu. Il n'y a pas beaucoup de différence entre cet énoncé et celui qu'on adressera plus tard à l'adolescent ou à l'adulte en lui disant que ses fautes offensent Dieu. Le Dieu des enfants pleurniche, celui des adultes pique une rage. Dans un cas comme dans l'autre, il s'agit d'anthropomorphismes, c'est-à-dire de manières de se représenter Dieu comme s'il était un être humain. Et même, il s'agit d'anthropomorphismes inexacts, car il est faux de dire, même d'un homme, qu'il peut être offensé par les actions ou les paroles d'un autre. Donc, si cela est impossible entre êtres humains, à plus forte raison cela le sera-t-il quand il s'agit de Dieu. Qu'on en finisse donc de ces idioties qui représentent Dieu comme attristé par les péchés des hommes, ou la Vierge Marie pleurant sur les méfaits des humains. Ce sont là des fables!

Les parents et éducateurs présentent aussi souvent Dieu comme un être bon, mais juste et, quand ils expliquent ce terme, ils le décrivent comme récompensant les bons et punissant les méchants. Comme nous l'avons vu plus haut, les "bons" et les "méchants" n'existent que dans les westerns du cinéma, alors que la réalité ne nous présente que des êtres, dont je ne sais dire s'ils sont bons ou mauvais, mais dont je peux constater qu'ils posent parfois des actes appropriés et parfois des gestes inopportuns. Il faut avouer que l'emploi de termes comme "bons", "méchants", "pécheurs" dans les écritures sacrées du christianisme n'aide pas à éclaircir cette ambiguïté. Il est alors opportun de se souvenir que ces écritures ont été rédigées par des hommes comme vous et moi et que l'on ne peut dès lors s'attendre qu'à une rédaction imparfaite de leur part, à des contradictions, côtoyant des pages du plus pur réalisme.

En troisième lieu, on présente Dieu comme législateur donnant des directives aux hommes dont il attend obéissance sous peine de châtiments appropriés. On parle de la "loi du Christ", pour ajouter qu'il s'agit d'une loi d'amour. Nous voilà obligés d'aimer! Ça dépasse l'entendement.

Quand j'imagine Dieu, planifiant la venue de son Fils dans ce monde, j'aime assez me le représenter se disant à lui-même: "Décidément, mes créatures ne se tirent pas très bien d'affaire. Elles se battent, s'empoisonnent mutuellement l'existence et gaspillent leur courte vie à chercher le bonheur là où elles ne peuvent le trouver. Voyons si le Fils ne parviendrait pas, par la parole et l'exemple, à leur enseigner comment s'y prendre plus adroitement pour atteindre ce bonheur." Et voilà le Fils qui devient homme et commence dès le début à montrer que ce n'est pas nécessaire d'être millionnaire pour être bien dans sa peau. Après quelques années, il commence à enseigner sa méthode pour être heureux. "Vous feriez mieux de vous aimer que de vous haïr, car ainsi le monde sera plus habitable pour tout le monde, et pour vous d'abord. Ne cherchez donc pas à vous venger de ceux qui vous ont fait du tort, car pendant que vous planifiez votre vengeance, vous vous gâtez le plaisir de vivre et vous contribuez à bâtir un monde dans lequel vous êtes vous-mêmes malheureux. Vous faites mieux de donner à chacun ce qui lui revient, car vous allez vous éviter ainsi bien des querelles et des tracas. Pour la même raison, laissez donc aux autres ce qui leur appartient." Cela continue pendant quelques années, jusqu'à ce que les puissants du temps, inquiets de le voir libérer autant de gens des pensées idiotes qui les retenaient prisonniers, lui règlent son compte avec la complicité du pouvoir civil, toujours en faveur de la loi et de l'ordre.

Mais le Christ n'est pas plus tôt mort, ressuscité et parti de ce monde, que les braves gens auxquels il a confié sa méthode s'avisent que cette méthode est merveilleusement utile pour rendre heureux, qu'elle libère profondément, empêche de se sentir anxieux, troublé, hostile et permet de faire face avec plus de courage aux tracas inévitables de l'existence. Pas de problème jusque-là. Mais alors, ils retombent dans leurs chères vieilles habitudes et transforment ce qui était un *bon conseil* en une *obligation*. Voilà que non seulement c'est une bonne idée que d'aimer tout le monde, y compris ses ennemis, mais que c'est un *ordre,* et qu'on sera puni si on y contrevient! Voilà que non seulement il est *mieux* d'agir avec justice et équité, mais qu'*il faut* le faire! Voilà que non seulement il est préférable de ne pas chiper les choses du voisin si on veut vivre en paix avec ce voisin, mais que cela devient un *péché* de le faire! Comme il y a une loi, il faut aussi inventer un juge, des policiers chargés de la faire respecter et des sanctions destinées à foutre la trouille aux braves gens et à les faire marcher au pas. Après quelques années, la doctrine connaît un succès inespéré auprès des Romains. Mais, diable d'affaire, les Romains sont des passionnés de la codification. Ils codifient tout, depuis la longueur du pas militaire (c'est à eux que nous devons notre mille de 5280 pieds, si commode!) jusqu'à la longueur des robes des femmes. Devenus chrétiens, ils ne perdent pas leurs bonnes habitudes. C'est une rage de règlementation, de codification, de tarification qui commence et se continue pendant des siècles.

Jésus-Christ avait été simple et concis: "Aime ton Dieu et aime ton prochain: tout est là et tu seras heureux." Ses disciples se sont chargés de suppléer à ce déplorable manque de détails, en inventant des milliers de lois. Le plus ennuyeux, c'est qu'ils ont affirmé et affirment encore continuer l'oeuvre de leur maître et se réclament de son nom pour édicter des règlements absurdes. Pendant longtemps, l'état civil leur a prêté main forte, brûlant et décapitant allègrement ceux qu'ils lui désignaient ou augmentant le nombre des croyants à coup de pieds au cul. L'Etat a aujourd'hui heureusement pris ses distances, mais il existe encore quelques Etats américains où le blasphème est puni de prison ou d'amende.

Après le Dieu législateur pointilleux, voici le Dieu vengeur des opprimés, celui qui, à la fin des temps, plongera les méchants dans la grande marmite, aux applaudissements des bons garçons qui se sont fait avoir pendant leur vie. On imagine assez la joie de ces bons chrétiens: c'est toujours amusant de voir le type qui t'a volé tes sous se faire attraper et se faire chauffer le derrière. Mais je pensais qu'il *fallait* aimer ses ennemis?...Mais voilà, ce n'est que temporaire, ça ne vaut que pour ce monde: la vengeance est un plat qui se mange froid!

Il y a aussi le Dieu qui envoie des épreuves, par amour. Vous perdez votre femme chérie dans un incendie, vos enfants vous traitent de vieille baderne et un chien hargneux vous mord le mollet. Patience, mon fils: ce sont là des épreuves que Dieu, dans sa miséricorde, vous envoie pour vous donner l'occasion de faire la preuve de votre courage et de votre foi. Si vous tenez bien le coup sans vous révolter et sans crier au meurtre, il vous réserve une place de choix à sa droite.

Cela dépasse le bon sens le plus bassement élémentaire. Qui ne trouverait stupide ou cruel un être humain qui s'amuserait à de pareilles manipulations sur ses semblables? Et voilà ce qu'on attribue à Dieu.

J'arrête avant d'éclater. Je pourrais vous entretenir encore du Dieu gendarme, du Dieu puritain, troussant la narine quand il flaire le sexe, du Dieu barbon, fronçant le sourcil si on s'avise de rigoler un peu fort, mais c'en est assez. Si vous voulez croire à ce Dieu, bonne chance. Il ne vous reste plus qu'à vous mettre des fleurs dans le nez, des bouts de bois dans les lobes des oreilles et à rejoindre les joyeux compères du Matto Grosso.

Il faudrait tout de même ne pas se contredire à largeur de page. Dieu est-il bon, patient, intelligent, ou bien est-il irritable, pointilleux, plutôt stupide? Si vous me répondez qu'il est tout cela, je vais vous inviter à tracer un cercle carré. Et si vous me répondez que vous n'en savez rien, sauf qu'il est impossible qu'il se contredise, alors je vous répondrai que, comme saint Thomas, j'en suis au même point que vous.

Nous ne savons *rien* de Dieu sauf que, comme tout être, il ne saurait subsister en alliant en lui-même des contradictions et des divisions. Que nous ne connaissions rien de lui ne nous autorise pas à déclarer sur son compte des absurdités.

Les chrétiens se lamentent que le monde devient athée et qu'on se "fout" bien de Dieu, dont on annonce même la mort. S'il s'agit de la mort de ce fantoche grincheux, je n'en éprouve que du soulagement. Mais je crois que pour bien des gens, Dieu n'est pas mort. Il n'a tout simplement jamais existé. Ils n'ont fait que rejeter de leur esprit une idée absurde de plus, mais il serait dommage qu'ils confondent une idée absurde avec la réalité.

Voilà un peu ce que j'exposai à Yves, cet homme mûr, aux cheveux blancs, qui tremblait encore devant son idole comme un gosse devant son père. C'était surtout le Dieu-auteur-du-code-pénal qu'Yves redoutait, d'autant plus qu'il était assez lucide pour se rendre compte qu'un être humain ne saurait tout simplement pas observer toutes les lois que l'imagination des hommes a attribuées à Dieu, non seulement parce qu'elles sont trop nombreuses, mais aussi parce que certaines d'entre elles se contredisent les unes les autres. Comment ne pas se sentir coupable quand une loi prescrit d'aimer tout le monde, alors qu'une autre enjoint d'éviter les mauvaises compagnies comme autant d'occasions de péché?

Une fois qu'il se fut mis au travail, Yves nettoya son esprit de ses idées sur Dieu avec autant d'ardeur que quelqu'un qui décide, après longtemps, de faire le grand ménage dans le débarras. C'était un plaisir de le voir sortir les poubelles remplies à craquer de vieux morceaux de statues, de lambeaux de bannières, de moisissures de sacristie.

Aujourd'hui, pour la première fois de sa vie, il croit en Dieu. Ce qu'il a rejeté, ce n'était pas la foi, mais un fatras de superstitions. Son esprit est dépoussiéré, et il y vit plus à l'aise. Il a encore peur, mais des choses vraiment dangereuses. Quant à Dieu, il sait enfin qu'il est absolument inoffensif.

Chapitre XXVIII

Zoé, ou la peur de mourir

Avec ce dernier chapitre, nous abordons la peur sans doute la plus fondamentale de toutes, celle que la plupart d'entre nous essayons de combattre en fuyant constamment la pensée de notre propre disparition ou en meublant notre esprit de toutes sortes d'idées consolantes. Comme pour toutes les autres peurs, cette fuite et ces rationalisations ne nous servent qu'à entretenir notre peur de la mort.

Est-il donc possible, autrement que par inconscience ou rationalisation, d'arriver à évacuer cette peur et de ne pas passer sa *vie* à trembler devant la mort? Le bon sens nous sera-t-il ici de quelque secours ou devra-t-il s'avouer vaincu devant le mystère?

Commençons par distinguer la peur de mourir de la peur de la souffrance qui *parfois* précède la mort. J'ai parlé de la peur de cette souffrance au chapitre 26 et je n'y reviendrai pas ici, si ce n'est pour souligner qu'il est fantaisiste de s'imaginer que *toutes* les morts sont inévitablement douloureuses.

Eliminons aussi les peurs reliées à l'imagination d'un au-delà menaçant, peuplé de fantômes et de damnés grimaçants. J'ai parlé de ces peurs au chapitre précédent.

Reste la peur à l'occasion de la mort elle-même et, comme vous le voyez, une fois débarrassée des imaginations relatives à la souffrance et à Dieu, elle prend des proportions plus modestes. La mort est un phénomène normal et naturel de dissolution d'un être composé de parties, lesquelles finissent par se disjoindre, entraînant l'interruption de la vie. Cela en soi n'a rien d'horrible ni de catastrophique, mais se passe selon la nature des choses.

Se représenter la mort comme un châtiment imposé à notre nature déchue par un Dieu mécontent relève d'une conception enfantine. Que certains d'entre nous aient le désir de prolonger indéfiniment leur existence parce qu'ils trouvent du plaisir à vivre, rien de plus raisonnable. Mais de là à expliquer que la frustration de ce désir normal est une terrible chose qu'on ne saurait ni comprendre ni accepter constitue une fadaise de plus. Nous passons notre vie à rencontrer des frustrations, parce que nous avons des désirs que les circonstances ne nous permettent pas de satisfaire. Je ne vois pas pourquoi la frustration du désir de vivre ferait exception et se classerait à part. Il suffit d'ailleurs de constater que bien des gens ont préféré mourir plutôt que de connaître d'autres frustrations. On a écrit des sottises remarquables sur le désir inné et incontrôlable de vivre, affirmant qu'un être humain est prêt à faire n'importe quoi et à souffrir n'importe quelle souffrance pour conserver la vie. Ces allégations sont contredites par la réalité.

Je me souviens d'avoir lu, il y a quelques années, un court article dans un quotidien rapportant la mort de deux vieux époux qui s'étaient simultanément suicidés. Ils avaient laissé une note exposant en termes pondérés que, devenus presque aveugles, sourds et affectés de diverses infirmités, et ne trouvant plus un plaisir suffisant à vivre, ils avaient décidé de quitter la scène. Ils saluaient leurs amis et leurs parents et priaient chacun de ne pas se chagriner de leur décision.

Qu'on ne vienne pas parler ici de désespoir ou de folie passagère. On a plutôt affaire à une décision soigneusement mûrie, prise en pleine liberté et accomplie dans la sérénité. Elle rappelle le suicide de Freud qui, affecté d'un cancer incurable de la mâchoire dont les médicaments n'arrivaient plus à masquer la souffrance, pria l'un de ses confrères médecins de lui injecter assez de morphine pour amener son décès.

La peur de la mort n'est donc ni si universelle ni si ancrée qu'on s'applique à le prétendre, et il est sot de répéter que "le soleil et la mort sont deux choses qu'on ne saurait regarder en face" (Fénelon), comme en témoignent non seulement des suicides lucides et réfléchis, mais aussi les morts, acceptées sereinement, de tant de bonnes gens.

Une de mes consultantes m'a raconté la mort de son père âgé de soixante-dix ans. Après avoir rassemblé la famille autour de lui et avoir adressé ses salutations et bons souhaits à chacun, il les pria de se retirer et resta en tête-à-tête avec son épouse. Un quart d'heure plus tard, sans cris ni larmes, il était mort. Il n'était ni un héros ni un saint, mais il ne se disait pas que la mort est une chose épouvantable. Et cela ne se passe pas dans la Grèce antique ou dans les Himalayas, mais bien au pays du Québec, il y a deux ans!

J'ai vu mourir Zoé, emportée à trente-huit ans par un cancer généralisé. Tant qu'elle s'est dit que cela ne se pouvait pas, que c'était injuste de mourir si jeune, que c'était trop dur, elle a vécu dans la peur et l'angoisse. Puis, graduellement, elle a accepté. Après tout, même un enfant qui meurt ne fait que subir quelques années plus tôt que prévu ce qui était inévitable. Quant à l'injustice, elle n'existe que dans l'esprit de celui qui croit qu'il y a des morts justes et méritées. Pour ce qui est de la dureté de la mort, Zoé s'est vite rendu compte que là aussi on avait grandement exagéré. Elle s'est éteinte tranquillement et lucidement, sans révolte absurde comme sans démission.

Je ne connais pas de meilleure et de plus enviable façon de vivre que celle de celui qui a exorcisé dans son esprit la peur de la mort. Il vit dans la liberté et peut jouir le plus pleinement possible d'une vie que l'anxiété et l'angoisse viendraient ternir. Et cette peur de la mort, comme toutes les autres que j'ai explorées avec vous dans ce livre, vient uniquement des opinions que nous entretenons sur elle et, en conséquence, peut disparaître à mesure que ces opinions et ces idées sont rejetées de notre esprit.

Je terminerai ce chapitre et ce livre par une dernière citation de mon cher Marc-Aurèle:

Quand tu devrais vivre trois fois mille ans, et même autant de fois dix mille ans, souviens-toi pourtant que nul ne perd une vie autre que celle qu'il vit, et qu'il ne vit pas une vie autre que celle qu'il perd. Par là, la vie la plus longue revient à la vie la plus courte. Le temps présent, en effet, étant le même pour tous, le temps passé est donc aussi le même, et ce temps disparu apparaît ainsi infiniment réduit. On ne saurait perdre, en effet, ni le passé ni l'avenir, car comment ôter à quelqu'un ce qu'il n'a pas? (II, 14).

Tu t'es embarqué, tu as navigué, tu as accosté: débarque! (III, 3).

Annexes

Lettre à un(e) futur(e) aidé(e)

Bientôt, nous nous rencontrerons pour la première fois, si ce n'est déjà fait. Vous devez avoir toutes sortes d'idées dans la tête concernant ces rencontres, qui sont sans doute pour vous une expérience nouvelle. J'aimerais réfléchir avec vous sur nos futures rencontres, tenter d'éclaircir dès le départ le déroulement des choses entre nous, de préciser ce que vous pouvez attendre de ces rencontres et les objectifs auxquels elles tendent.

D'abord, il est probable que vous vous êtes décidé à me rencontrer après bien des hésitations. Le contact avec moi a pu vous apparaître menaçant, humiliant ou même dangereux. Beaucoup de gens pensent au fond que rencontrer un aidant, c'est un peu avouer qu'on est trop bête ou trop faible pour régler ses problèmes tout seul. Pour beaucoup, un VRAI homme ou une VRAIE femme, ça se débrouille tout seul, sans faire appel à personne. Pourtant, si vous y pensez bien, vous faites appel à bien des gens chaque jour, pour toutes sortes de situations: au boucher pour votre viande, au médecin pour votre santé, au garagiste pour votre voiture. "Oui, direz-vous, mais dans ces cas-là, c'est que je n'y peux rien moi-même...Je ne peux tout de même pas m'opérer moi-même, et les autos, je n'y connais rien!" C'est fort juste, et vous venez de dire une chose que je trouve très importante: pour régler un problème, il est nécessaire en premier lieu de savoir comment s'y prendre, il est nécessaire de le cerner et de savoir où il est. Dans le domaine psychologique, ce n'est pas facile de *se* connaître *soi-même*. Nous sommes tellement proches de nous-même qu'il nous est difficile de nous comprendre; c'est un peu comme quelqu'un qui ne peut pas voir la forêt parce qu'il a l'oeil collé contre l'écorce du premier arbre. C'est donc là un premier service qu'un aidant peut vous rendre: vous aider à vous connaître et à vous comprendre vous-même. C'est un peu étrange à première vue, mais il est mieux placé pour vous connaître que vous ne l'êtes vous-même, parce qu'il n'est pas *dans* votre peau.

Voilà donc quelle sera la première étape de notre travail commun: arriver à mieux saisir *ce* que vous vivez dans vos émotions, et mieux saisir *pourquoi* vous vivez ces émotions-là.

Je vous le dis tout de suite: si je ne sais pas encore *quelles* émotions vous vivez, je sais déjà en gros pourquoi vous vivez les émotions que vous vivez. "Etes-vous donc un prophète...! Comment pouvez-vous tant en savoir sur moi?" C'est vrai que je ne vous connais pas encore, mais vous êtes un être humain, et les êtres humains sont tous faits fondamentalement de la même manière. Ils sont différents quant aux détails, comme une voiture est différente d'une autre; ainsi, il y a des familiales, des coupés, des voitures sports, des camions ou des corbillards, mais fondamentalement, ce sont tous des moyens de locomotion, dotés chacun d'un moteur et d'un certain nombre de roues.

Ainsi, vous partagez avec tous les êtres humains les caractéristiques suivantes: vous avez des *idées* et des *émotions,* et ce sont vos idées qui sont la cause principale de vos émotions, comme c'est le fonctionnement du moteur qui est la cause principale du déplacement d'une voiture, quel que soit le genre de moteur ou de voiture.

Notre deuxième étape consistera donc à explorer le domaine de vos *idées,* ce que vous *pensez* des choses et des gens, ce que vous *croyez* à tous les points de vue. Comme ces idées *causent* vos émotions, nous serons amenés à examiner si les idées que vous avez sont *VRAIES, FAUSSES* ou *INCERTAINES*. Vous comprendrez comme moi que si vous avez une ou des idées qui sont la cause chez vous d'émotions *désagréables,* (comme l'anxiété, la colère, la peur), et que nous arrivons à prouver que ces *idées* sont *FAUSSES*, il va être très important pour vous que vous appreniez en une *troisième étape*, à vous débarrasser de ces idées *FAUSSES*, puisque c'est leur départ et leur remplacement par des *IDÉES VRAIES* qui causera chez vous le changement des émotions pénibles dont vous voudrez vous défaire.

Il est déjà réaliste de vous attendre à ce que certaines idées fausses résistent beaucoup à se laisser expulser. Après tout, vous avez probablement acquis certaines d'entre elles depuis très longtemps, peut-être pendant les toutes premières années de votre vie. Elles vous auront été enseignées par vos parents, votre entourage, la société dans laquelle vous vivez. Vous en aurez forgé certaines par vous-même: on n'est souvent pas très réaliste quand on est petit. Depuis des années, vous leur donnez asile dans votre esprit et, sans vous en rendre compte, vous les alimentez et continuez à les renforcer en vous les répétant périodiquement. Elles ne céderont donc pas la place docilement. Il vous faudra vous résoudre à les extirper, un peu comme on travaille à déraciner une vieille souche tenace.

En une quatrième étape, tout en faisant le travail de défrichage du monde de vos idées, il sera opportun que, graduellement, vous passiez à l'action, que vous commenciez à vous engager dans des actions et des gestes que vous avez redoutés et qui deviendront possibles à mesure que votre forêt s'éclaircira. Après tout, si un défricheur abat des arbres et arrache des souches, c'est pour ensuite se construire une maison, ensemencer ses champs et, éventuellement, recueillir le fruit de son labeur en engrangeant ses récoltes. Le défrichage n'est qu'une phase préparatoire.

Si nous résumons l'ensemble de l'expérience, nous pouvons le faire en quatre mots:

- *se connaître,* c'est-à-dire identifier en soi les pensées et les émotions;
- *distinguer* les idées *vraies* des idées *fausses* et des idées *incertaines;*
- *extirper* les idées *fausses* et les remplacer par des *vraies;* par le fait même les émotions changent, puisqu'elles sont produites par les idées;
- *passer à l'action.*

Ce style de relation d'aide porte le nom de *thérapie émotivorationnelle.* Elle trouve son origine historique dans la pensée des philosophes des premiers siècles de notre ère (surtout Epictète et Marc-Aurèle). De nos jours, elle a surtout été mise au point par un psychologue américain: Albert Ellis. De mon côté, j'ai écrit en 1974 un petit livre: *S'aider soi-même,* où vous pouvez retrouver plus en détail le cheminement que je viens de résumer brièvement ici.

A ce point de votre lecture, vous vous sentez peut-être un peu effrayé par la somme de travail qui se montre à vos yeux. Je ne nierai pas qu'une thérapie demande du travail, beaucoup de travail. Mais c'est un travail *utile* et *graduel:* vous ne ferez pas tout en une semaine. D'autre part, songez à tous les efforts que vous avez dépensés depuis peut-être des années, pour vous améliorer et régler vos problèmes. Peut-être êtes-vous déçu des résultats et redoutez-vous que les nouveaux efforts ne vous apportent qu'une nouvelle déception. Demandez-vous si ces efforts que vous avez fournis dans le passé, vous les avez fournis d'une manière systématique et méthodique. Et si par hasard vous n'auriez pas dépensé beaucoup d'énergie en vain parce que vous n'aviez pas identifié exactement la CAUSE de vos difficultés: vos *idées.*

Sur le plan plus concret, je m'attends à ce que vous soyez présent aux rendez-vous et que vous m'avertissiez le plus tôt possible s'il vous est impossible de venir. Si vous omettez de m'avertir de votre absence, l'entrevue vous sera facturée au même titre que les autres entrevues. Si vous arrivez en retard, l'entrevue se terminera quand même au temps prévu. De mon côté, vous pouvez compter que je serai présent aux entrevues et à temps, que je ferai tous mes efforts pour vous faire avertir si, par hasard, je devais contremander l'une de nos rencontres.

En conclusion, je souhaite que nous trouvions une manière de travailler ensemble qui vous soit profitable et que vous ne vous laissiez pas rebuter par les difficultés que vous rencontrerez dans ce travail de transformation de vous-même.

COMMENT JE M'AIDE MOI-MÊME

Directives

Les numéros se rapportent aux numéros de la feuille de travail.

1. Indiquez ici brièvement ce qui vous a le plus frappé pendant l'entrevue et/ou ce que vous avez découvert depuis cette entrevue et qui se rapporte à *qui vous êtes* et à la *manière dont vous fonctionnez*. Exemples: "J'ai réalisé que j'ai une forte tendance à dramatiser les évènements" - "J'ai découvert que je n'avais pas besoin que telle personne s'occupe de moi" - "Je vois maintenant que je suis mieux de travailler plutôt que de me plaindre."

2. 3. 4. 5. 6. 7.

Travail accompli

Beaucoup	A
Moyennement	B
Peu ou pas	C

Résultats obtenus

Bons	A
Passables	B
Mauvais	C

2. *Emotions à acquérir*

a) Calme, sérénité.

b) Assurance, confiance en soi.

c) Joie, plaisir de vivre, bonne humeur, entrain.

d) Patience.

e) Humour, capacité de rire un peu de soi.

f) Ouverture aux autres, être amical.

g) Tolérance, acceptation des autres.

h) Fermeté vis-à-vis de soi, contrôle.

i) Courage.

j) Paix, goût de vivre.

k) Sentiment de maîtrise, de capacité de réussir.

l) Autres.

3. *Emotions à expulser*

a) Colère ou grande irritabilité.

b) Anxiété, angoisse, peur.

c) Ennui, tristesse.

d) Sentiment d'échec.

e) Frustation.

f) Culpabilité.

g) Désespoir, dépression.

h) Sentiment d'isolement, de solitude.

i) Sentiment d'impuissance.

j) Se prendre en pitié.

k) Manque de contrôle.

l) Sentiment de ne rien valoir, infériorité.

m) Autres.

4. *Actions et habitudes à acquérir*

a) Assumer ses responsabilités.

b) Agir avec équité envers les autres.

c) Arriver à temps à ses rendez-vous.
d) Mener sa vie avec discipline et ponctualité.
e) Faire les choses sans tergiverser ni rechigner.
f) Prendre les décisions en un temps raisonnable.
g) Dire la vérité quand c'est approprié.
h) Prendre suffisamment de distractions et de repos.
i) Donner libre cours à sa fantaisie.
j) Prendre des risques appropriés.
k) Manger de façon appropriée.
l) Boire de l'alcool avec modération.
m) Visiter le médecin si l'on est malade.
n) Parler à des étrangers avec simplicité.
o) Autres.

5. *Actions et habitudes à expulser*

a) Fuir ses responsabilités.
b) Agir injustement envers les autres.
c) Etre en retard à des rendez-vous.
d) Manquer de discipline personnelle.
e) Rechercher l'attention des autres.
f) S'attaquer physiquement aux autres.
g) Remettre à plus tard des choses importantes.
h) Engueuler les autres.
i) Se lamenter et pleurer.
j) Se retirer dans l'inaction et la passivité.
k) Boire trop d'alcool.
l) Trop manger.
m) Trop dormir.
n) Dormir insuffisamment.
o) Abuser des médicaments et drogues.
p) Autres.

6. Idées réalistes à acquérir

1. Je n'ai pas besoin d'être aimé et approuvé par qui que ce soit pour quoi que je fasse.
2. Je ne *peux pas* réussir parfaitement la moindre chose.
3. Je ne suis pas un être méchant ni mauvais. Mes *actes* n'ont rien à voir avec ma valeur comme *personne*. Il en est de même pour les autres.
4. Les vraies catastrophes sont rares.
5. Mon malheur vient principalement de moi-même et je puis donc modifier mes émotions en changeant mes idées.
6. Si un danger ou un malheur me menace, il est inutile de m'en préoccuper continuellement et de me tracasser à ce sujet.
7. Une vie disciplinée et ordonnée est plus agréable que l'inverse.
8. Il n'y a pas de raison pour que je sois affecté profondément par mon passé.
9. Le monde et les gens sont comme ils sont et il n'y a pas de raison pour qu'ils soient autrement, *même si je le désire*.
10. Mon bonheur dépend en bonne part de mon action et de mon engagement.
11. Je suis *un être humain*.

7. Idées non réalistes à expulser

1. J'ai absolument besoin d'être aimé et approuvé par presque toutes les personnes de mon entourage pour presque tout ce que je fais.
2. Je dois réussir parfaitement tout ce que j'entreprends.
3. Certaines personnes sont mauvaises et méchantes et méritent d'être sévèrement blâmées et punies de leurs fautes.
4. Quand les choses ne sont pas comme je le souhaite, c'est terrible, horrible, catastrophique et insupportable.
5. Mon malheur vient de l'extérieur et je ne suis pas capable de me débarrasser de mes pensées et de mes chagrins.
6. Parce qu'une chose est ou peut devenir dangereuse, il est inévitable que je m'en préoccupe profondément et que je me tracasse sans arrêt à ce sujet.
7. Il est plus facile d'éviter les difficultés et les responsabilités que d'y faire face en me disciplinant moi-même.

8. Mon passé a une importance capitale et il est inévitable que ce qui m'a déjà affecté profondément continue à le faire pendant toute ma vie.

9. Les choses et les gens devraient être autres qu'ils sont et c'est une chose terrible que de ne pas trouver une solution parfaite et immédiate aux dures réalités de la vie.

10. Mon plus grand bonheur peut être atteint par l'inertie et l'inaction, en me "laissant vivre" passivement.

8. Le contrat

Il s'agit ici du contrat *spécifique* que vous avez conclu avec vous-même, portant sur des actions concrètes et faisant l'objet d'une décision personnelle ferme - évitez les contrats vagues et généraux, trop difficiles à vérifier. *Exemples:*

"Ne pas manger entre les repas"

"Faire trois confrontations par jour"

"Faire le ménage de la maison"

"Prendre 10 heures pour préparer mon examen"

plutôt que:

"Maigrir"

"Me confronter quand c'est utile"

"Avoir plus d'ordre et de discipline"

"Etudier davantage".

9. Les garde-fous

Indiquez ici les conséquences positives et/ou négatives que vous avez décidé de vous appliquer selon que vous avez respecté ou non votre contrat.

Exemples:

"$5.00 par confrontation non faite, à envoyer aux oeuvres de charité"

"Me lever une heure plus tôt que d'habitude"

"Sauter un repas"

"M'acheter un vêtement que je désire"

"Regarder mon programme de télévision favori"

"Faire un voyage que je désire"

11. Indiquez précisément les progrès au niveau du *changement de vos idées* et de votre *engagement dans l'action.*

12. Indiquez *précisément* le temps consacré à changer vos idées non réalistes, à reviser l'entrevue, à vous engager dans des actions spécifiques, à rédiger ce travail, à préparer votre prochaine entrevue.

13. 14. 15. 16. 17 et 18: voir: 2. 3. 4. 5. 6. 7.

19 et 20: voir 8 et 9.

22. (voir page suivante).

Bon succès

"Le bonheur, même le bonheur tout relatif auquel peut prétendre un être humain, ne s'acquiert pas sans un investissement considérable et prolongé d'énergie intérieure."

Lucien Auger, *S'aider soi-même,* p. 9.

22. Confrontations

Dates	Événement	Idées non réalistes	Effet	Confrontation	Résultats
12 juin	Arrivé en retard au bureau.	"Ah! qu'est-ce que les autres vont dire? C'est terrible! Il *faut* que j'arrive à temps!"	Anxiété Peur	"Ils diront ce qu'ils voudront! Ça n'a rien de terrible! Je *peux* arriver à temps, ce serait probablement mieux."	Plus de calme
13 juin	Mon collègue Dubois critique sévèrement mon travail.	"Quel écoeurant! Ça prend bien un enfant de chienne! Il n'y connaît rien!"	Colère Agressivité	"Même s'il n'y connaît rien, il a quand même le droit de dire ce qu'il pense. Un être humain *n'est* jamais un enfant de chienne."	Plus de calme
14 juin	Ma fille rate son examen de biochimie.	"Petite écervelée! Je le lui avais bien dit d'étudier! Elle n'est bonne à rien!"	Colère Anxiété Culpabilité	"Tout être humain peut se tromper. Elle n'est pas obligée d'étudier, même si ce serait préférable. Manquer un examen n'est pas une catastrophe, et cela ne signifie pas qu'elle n'est bonne à rien."	Plus de calme Sérénité

COMMENT JE M'AIDE MOI-MÊME

Rédigé à la suite de l'entrevue no . . . . .le . . . . 19. . . .

1ère Partie

RAPPORT ET ÉVALUATION

1. Ce que j'ai appris sur moi-même **pendant** et/ou **depuis** cette entrevue.

2. ÉMOTIONS que j'ai surtout travaillé
   à ACQUÉRIR.

   1

   2

   3

3. ÉMOTIONS dont j'ai surtout travaillé
   à me DÉBARRASSER.

   1

   2

   3

4. ACTIONS et HABITUDES que j'ai surtout
   travaillé à ACQUÉRIR.

   1

   2

   3

5. ACTIONS et HABITUDES dont j'ai surtout
   travaillé à me DÉBARRASSER.

   1

   2

   3

6. IDÉES RÉALISTES que j'ai surtout
   travaillé à ACQUÉRIR.

   1

   2

   3

7. IDÉES NON RÉALISTES dont j'ai surtout
   travaillé à me DÉBARRASSER.

   1

   2

   3

8. Mon contrat pour la période écoulée était le suivant:

9. Les garde-fous utilisés étaient les suivants:

10. Le contrat a été respecté
    ☐ intégralement
    ☐ en partie (spécifiez)
    ☐ non respecté

11. Progrès réalisés pendant la période écoulée
    depuis la dernière entrevue.
    199

12. Depuis la dernière entrevue, j'ai passé . . . . . . heures à travailler spécifiquement à m'améliorer.

2e Partie

PROSPECTIVE

13. ÉMOTIONS que je veux le plus travailler à ACQUÉRIR.
    1.
    2.

14. ÉMOTIONS dont je veux le plus travailler à me DÉBARRASSER.
    1.
    2.

15. ACTIONS et HABITUDES que je veux le plus travailler à ACQUÉRIR.
    1.
    2.

16. ACTIONS et HABITUDES dont je veux le plus travailler à me DÉBARRASSER.
    1.
    2.

17. IDÉES RÉALISTES que je veux le plus travailler à ACQUÉRIR.
    1.
    2.

18. IDÉES NON RÉALISTES dont je veux le plus travailler à me DÉBARRASSER.
    1.
    2.

19. Mon contrat pour la période à venir est le suivant:

20. Pour la période à venir, je veux utiliser les garde-fous suivants:

21. Sujets que je désire maintenant aborder pendant l'entrevue.
1.
2.
3.
4.
5.

22. CONFRONTATIONS réalisées.

Bibliographie

Allport, G., *The person in psychology*, Beacon Press, Boston, 1968.

Auger, L., *Communication et épanouissement personnel: la relation d'aide*, Editions de l'Homme — Editions du CIM, Montréal, 1972.

Auger, L., *S'aider soi-même: une psychothérapie par la raison*, Editions de l'Homme — Editions du CIM, Montréal, 1974. Traduit sous le titre *Help yourself*, Habitex-CIM, Montréal, 1976.

Beauvoir, Simone de, *Le deuxième sexe*, Gallimard, Paris, 1949.

Beck, A.T., *Cognitive therapy and the emotional disorders*, International Universities Press, New-York, 1976.

Brackbill, Y., *Research and clinical work with children*, American Psychological Association Press, Washington, D.C., 1962.

Ellis, A., *Humanistic Psychotherapy: The rational emotive approach*, The Julian Press, New-York; 1973.

Ellis, A. & Harper, Robert A., *A new guide to rational living*, Prentice-Hall, Englewood Cliffs, N.J., 1975.

Frankl, V.E., *Paradoxical intention: a logotherapeutic technique*, in American Journal of Psychotherapy, 1960, no 14.

Frankl, V.E., *Paradoxical intention and dereflection,* in Psychotherapy: Theory, research and practice, 1975, no 12.

Freedman, A. M., Kaplan, H.I. & Sadock, B.J., *Modern synopsis of comprehensive textbook of psychiatry,* The Williams & Wilkins Co., Baltimore, 1972.

Goodman, D.S. & Maultsby, M.C., *Emotional well-being through behavior training,* Charles C. Thomas, Springfield, Ill., 1974.

Greer, G., *La femme eunuque,* Editions du Jour, Montréal, 1971.

Groult, Benoîte, *Ainsi soit-elle,* Grasset, Paris, 1975.

Kanfer, F.H. & Goldstein, A.P. (Eds.), *Helping people change,*Pergamon Press, New York, 1975.

Katchadourian, H.A. & Lunde, D.T., *La sexualité: concepts fondamentaux,* Les Editions HRW, Montréal, 1974.

Lazarus, A.A., *Behavior therapy and beyond,* McGraw-Hill, New York, 1971.

Lee, J.A., *Colours of love,* New Press, Toronto, 1974. Voir aussi un résumé dans *Psychology Today,* oct. 1974, 44-51.

Mahoney, M.J., *Cognition and behavior modification,* Ballinger, Cambridge, Mass., 1974.

Marc-Aurèle, *Pensées pour moi-même,* Garnier-Flammarion, Paris, 1964.

Meichenbaum, D. & Turk, D., The cognitive-behavioral management of anxiety, anger and pain, in Davidson, P.O. (Ed.), *The behavioral management of anxiety, depression and pain,* Brunner-Mazel, New-York, 1976, 1-34.

Pauwels, L., *Lettre ouverte aux gens heureux,* Albin Michel, Paris, 1971.

Raimy, V., *Misunderstandings of the self,* Jossey-Bass, San Francisco, 1975.

Rodis-Lewis, Geneviève, *Epicure et son école,* Gallimard, Paris, 1975.

Sagarin, Edward, *The high personal lost of wearing a label,* in Psychology today, March 1976, 25-31.

Sartre, Jean-Paul, *L'existentialisme est un humanisme,* Nabel, Paris, 1967.

Spinoza, B., *Ethique,* Gallimard, Paris, 1954. Edition originale: 1677.

Spitz, R.A., *Hospitalism: an inquiry into the genesis of Psychiatric conditions in early childhood,* in A. Freud et al (Eds.), The psychoanalytic study of the child, Vol. I, Int. Univ. Press, New-Yok, 1945, 53-74.

Spitz, R.A., *Hospitalism: a follow-up report on investigations,* described in Vol. I, 1945, in A. Freud et al (eds.), The psychoanalytic study of the child, Vol. II, Int. Univ. Press, New-York, 1946, 113-117.

Spitz, R.A. & Wolf, K.M., *Anaclitic depression: an inquiry into the genesis of psychiatric conditions in early childhood,* II, in A. Freud et al (eds.), The psychoanalytic study of the child, Vol. II, Int. Univ. Press, New-York, 1946, 313-342.

Saint-Arnaud, Yves, *La personne humaine,* Editions de l'Homme — Editions du CIM, Montréal, 1974.

Thoresen, C.E. & Mahoney, M.J., *Behavioral self-control,* Holt, Rinehart & Winston, New-York, 1974.

Thorne, F.D., *Personality: a clinical eclectic viewpoint,* Journal of clinical psychology, Brandon, Vt., 1961.

Xénophon, *L'apologie de Socrate,* Garnier-Flammarion, Paris, 1967.

Zwang, Gérard, *Lettre ouverte aux mal-baisants,* Albin-Michel, Paris, 1976.

OUVRAGES PARUS AUX ÉDITIONS cim

La personne

COMMUNICATION ET ÉPANOUISSEMENT PERSONNEL
Lucien Auger (1972) *Editions de l'Homme — Editions du CIM*

J'AIME
Yves Saint-Arnaud (1978) *Editions de l'Homme — Editions du CIM*

L'AMOUR
Lucien Auger (1979) *Editions de l'Homme — Editions du CIM*

LA PERSONNE HUMAINE
Yves Saint-Arnaud (1974) *Editions de l'Homme — Editions du CIM*

S'AIDER SOI-MÊME
Lucien Auger (1974) *Editions de l'Homme — Editions du CIM*

SE CONNAÎTRE SOI-MÊME: CRISE DE L'IDENTITÉ
DE L'ADULTE
Gérard Artaud (1978) *Editions de l'Homme — Editions du CIM*

UNE THÉORIE DU CHANGEMENT DE LA
PERSONNALITÉ
Gendlin (Roussel) (1975) *Editions du CIM*

VAINCRE SES PEURS
Lucien Auger (1977) *Editions de l'Homme — Editions du CIM*

SE COMPRENDRE SOI-MÊME
Collaboration (1979) *Editions de l'Homme — Editions du CIM*

LA PREMIÈRE IMPRESSION
Chris L. Kleinke (1979) Editions de l'Homme — Editions du CIM

Groupes et organisations
DYNAMIQUES DES GROUPES
Aubry et Saint-Arnaud (1975) *Editions de l'Homme — Editions du CIM*

ESSAI SUR LES FONDEMENTS PSYCHOLOGIQUES
DE LA COMMUNAUTÉ
Yves Saint-Arnaud (1970) *Editions du CIM* — épuisé

L'EXPÉRIENCE DES RETRAITES EN DIALOGUE
Louis Fèvre (1974) *Desclée de Brouwer — Editions du CIM*

LE GROUPE OPTIMAL I: MODÈLE DESCRIPTIF
DE LA VIE EN GROUPE
Yves Saint-Arnaud (1972) *Editions du CIM* — épuisé

LE GROUPE OPTIMAL II: THÉORIE PROVISOIRE
DU GROUPE OPTIMAL
Yves Saint-Arnaud (1972) *Editions du CIM* — épuisé

LE GROUPE OPTIMAL III: SA SITUATION DANS
L'ENSEMBLE DES RECHERCHES
Rolland-Bruno Tremblay (1974) *Editions du CIM*

LE GROUPE OPTIMAL IV: GRILLES D'ANALYSE
THÉORIQUES ET PRATIQUES DU GROUPE RESTREINT
Yves Saint-Arnaud (1976) *Editions du CIM* — épuisé

LES PETITS GROUPES: PARTICIPATION ET
COMMUNICATION
Yves Saint-Arnaud (1978) *Les Presses de L'Université de Montréal
— Editions du CIM*

SAVOIR ORGANISER, SAVOIR DÉCIDER
Gérald Lefebvre (1975) *Editions de l'Homme — Editions du CIM*

STRUCTURE DE L'ENTREPRISE ET CAPACITÉ
D'INNOVATION
André-Jean Rigny (1973) *Editions hommes et techniques*

Ouvrages parus chez les éditeurs du groupe Sogides

* Pour l'Amérique du Nord Seulement
** Pour l'Europe seulement
Sans * pour l'Europe et l'Amérique du Nord

LES ÉDITIONS DE L'HOMME

═══ ANIMAUX ═══

* **Art du dressage, L'**, Chartier Gilles
Bien nourrir son chat, D'Orangeville Christianz
Cheval, Le, Leblanc Michel
Chien dans votre vie, Le, Swan Marguerite
Éducation du chien de 0 à 6 mois, L', DeBuyser Dr Colette et Dr Dehasse Joël
Encyclopédie des oiseaux, Godfrey W. Earl
Guide de l'oiseau de compagnie, Le, Dr R. Dean Axelson
Mammifère de mon pays, Duchesnay St-Denis J. et Dumais Rolland
* **Mon chat, le soigner, le guérir**, D'Orangeville Christian
Observations sur les mammifères, Provencher Paul
Papillons du Québec, Les, Veilleux Christian et Prévost Bernard
Petite ferme, T.1, Les animaux, Trait Jean-Claude
Vous et vos petits rongeurs, Eylat Martin
Vous et vos poissons d'aquarium, Ganiel Sonia
Vous et votre beagle, Eylat Martin

Vous et votre berger allemand, Eylat Martin
Vous et votre boxer, Herriot Sylvain
Vous et votre braque allemand, Eylat Martin
Vous et votre caniche, Shira Sav
Vous et votre chat de gouttière, Gadi Sol
Vous et votre chat tigré, Eylat Odette
Vous et votre chow-chow, Pierre Boistel
Vous et votre collie, Ethier Léon
Vous et votre cocker américain, Eylat Martin
Vous et votre dalmatien, Eylat Martin
Vous et votre doberman, Denis Paula
Vous et votre fox-terrier, Eylat Martin
Vous et votre husky, Eylat Martin
Vous et vos oiseaux de compagnie, Huard-Viau Jacqueline
Vous et votre schnauzer, Eylat Martin
Vous et votre setter anglais, Eylat Martin
Vous et votre siamois, Eylat Odette
Vous et votre teckel, Boistel Pierre
Vous et votre yorkshire, Larochelle Sandra

ARTISANAT/ARTS MÉNAGERS

Appareils électro-ménagers, Prentice-Hall du Canada
* Art du pliage du papier, Harbin Robert
Artisanat québécois, T.1, Simard Cyril
Artisanat québécois, T.2, Simard Cyril
Artisanat québécois, T.3, Simard Cyril
Artisanat québécois, T.4, Simard Cyril, Bouchard Jean-Louis
Bon Fignolage, Le, Arvisais Dolorès A.
Coffret artisanat, Simard Cyril
* Construire des cabanes d'oiseaux, Dion André
Construire sa maison en bois rustique, Mann D. et Skinulis R.
Crochet Jacquard, Le, Thérien Brigitte
Cuir, Le, Saint-Hilaire Louis et Vogt Walter
Dentelle, T.1, La, De Seve Andrée-Anne
Dentelle, T.2, La, De Seve Andrée-Anne
Dessiner et aménager son terrain, Prentice-Hall du Canada
Encyclopédie de la maison québécoise, Lessard Michel

Encyclopédie des antiquités, Lessard Michel
Entretien et réparation de la maison, Prentice-Hall du Canada
Guide du chauffage au bois, Flager Gordon
J'apprends à dessiner, Nassh Joanna
Je décore avec des fleurs, Bassili Mimi
J'isole mieux, Eakes Jon
Mécanique de mon auto, La, Time-Life
Outils manuels, Les, Prentice Hall du Canada
Petits appareils électriques, Prentice-Hall du Canada
Piscines, Barbecues et patio
Taxidermie, La, Labrie Jean
Terre cuite, Fortier Robert
Tissage, Le, Grisé-Allard Jeanne et Galarneau Germaine
Tout sur le macramé, Harvey Virginia L.
Trucs ménagers, Godin Lucille
Vitrail, Le, Bettinger Claude

ART CULINAIRE

À table avec soeur Angèle, Soeur Angèle
Art d'apprêter les restes, L', Lapointe Suzanne
Art de la cuisine chinoise, L', Chan Stella
Art de la table, L', Du Coffre Marguerite
Barbecue, Le, Dard Patrice
Bien manger à bon compte, Gauvin Jocelyne
Boîte à lunch, La, Lambert Lagacé Louise
Brunches & petits déjeuners en fête, Bergeron Yolande
100 recettes de pain faciles à réaliser, Saint-Pierre Angéline
Cheddar, Le, Clubb Angela
Cocktails & punchs au vin, Poister John
Cocktails de Jacques Normand, Normand Jacques
Coffret la cuisine
Confitures, Les, Godard Misette
Congélation de A à Z, La, Hood Joan
Congélation des aliments, Lapointe Suzanne
Conserves, Les, Sansregret Berthe
Cornichons, Ketchups et Marinades,Chesman Andrea
Cuisine au wok, Solomon Charmaine
Cuisine aux micro-ondes 1 et 2 portions, Marchand Marie-Paul
Cuisine chinoise, La, Gervais Lizette
* Cuisine chinoise traditionnelle, La, Chen Jean
* Cuisine créative Campbell, La, Cie Campbell
Cuisine de Pol Martin, Martin Pol
* Cuisine du monde entier avec Weight Watchers, Weight Watchers
Cuisine facile aux micro-ondes, Saint-Amour Pauline
Cuisine joyeuse de soeur Angèle, La, Soeur Angèle
Cuisine micro-ondes, La, Benoît Jehane
Cuisine santé pour les aînés, Hunter Denyse

Cuisiner avec le four à convection, Benoît Jehane
* Cuisiner avec les champignons sauvages du Québec, Leclerc Claire L.
Cuisiner selon le régime Scarsdale, Corlin Judith
Cuisinier chasseur, Le, Hugueney Gérard
Entrées chaudes et froides, Dard Patrice
Faire son pain soi-même, Murray Gill Janice
Faire son vin soi-même, Beaucage André
Fine cuisine aux micro-ondes, La, Dard Patrice
Fondues & flambées de maman Lapointe, Lapointe Suzanne
Fondues, Les, Dard Partice
Menus pour recevoir, Letellier Julien
Muffins, Les, Clubb Angela
Nouvelle cuisine micro-ondes, La, Marchand Marie-Paul et Grenier Nicole
Nouvelle cuisine micro-ondes II, La, Marchand Marie-Paul et Grenier Nicole
Pâtés à toutes les sauces, Les, Lapointe Lucette
Patés et galantines, Dard Patrice
Pâtisserie, La, Bellot Maurice-Marie
Poissons et fruits de mer, Dard Patrice
Poissons et fruits de mer, Sansregret Berthe
Recettes au blender, Huot Juliette
Recettes canadiennes de Laura Secord, Canadian Home Economics Association
Recettes de gibier, Lapointe Suzanne
Recettes de maman Lapointe, Les, Lapointe Suzanne
Recettes Molson, Beaulieu Marcel
Robot culinaire, Le, Martin Pol
Salades des 4 saisons et leurs vinaigrettes, Dard Patrice
Salades, sandwichs, hors d'oeuvre, Martin Pol
Soupes, potages et veloutés, Dard Patrice

BIOGRAPHIES POPULAIRES

Daniel Johnson, T.1, Godin Pierre
Daniel Johnson, T.2, Godin Pierre
Daniel Johnson - Coffret, Godin Pierre
Dans la fosse aux lions, Chrétien Jean
* Dans la tempête, Lachance Micheline
Duplessis, T.1 - L'ascension, Black Conrad
Duplessis, T.2 - Le pouvoir, Black Conrad
Duplessis - Coffret, Black Conrad
Dynastie des Bronfman, La, Newman Peter C.
Establishment canadien, L', Newman Peter C.
* Léonard de Vinci, L'homme et son temps, Alberti de
  Mazzeri Sylvia
* Maître de l'orchestre, Le, Nicholson Georges

Maurice Richard, Pellerin Jean
* Monopole, Le, Francis Diane
Mulroney, Macdonald L.I.
Nouveaux Riches, Les, Newman Peter C.
* Paul Desmarais , Un homme et son empire, Greber
  Dave
Prince de l'Église, Le, Lachance Micheline
Saga des Molson, La, Woods Shirley
Sous les arches de McDonald's, Love John F.
* Trétiak, entre Moscou et Montréal, Trétiak Vladislav
* Une femme au sommet - Son excellence Jeanne
  Sauvé, Woods Shirley E.

DIÉTÉTIQUE

Combler ses besoins en calcium, Hunter Denyse
* Compte-calories, Le, Brault-Dubuc M., Caron
  Lahaie L.
Contrôlez votre poids, Ostiguy Dr Jean-Paul
* Cuisine sage, Lambert-Lagacé Louise
* Diète rotation, La, Katahn Dr Martin
Diététique dans la vie quotidienne, Lambert-Lagacé
  Louise
Livre des vitamines, Le, Mervyn Leonard
* Maigrir en santé, Hunter Denyse
* Menu de santé, Lambert-Lagacé Louise
Oubliez vos allergies, et... bon appétit, Association
  de l'information sur les allergies
Petite & grande cuisine végétarienne, Bédard
  Manon

* Plan d'attaque Weight Watchers, Le, Nidetch Jean
Plan d'attaque plus Weight Watchers, Le, Nidetch
  Jean
Recettes pour aider à maigrir, Ostiguy Dr Jean-Paul
* Régimes pour maigrir, Beaudoin Marie-Josée
Sage bouffe de 2 à 6 ans, La, Lambert-Lagacé
  Louise
Weight Watchers - cuisine rapide et savoureuse,
  Weight Watchers
Weight Watchers-Agenda 85 -Français, Weight
  Watchers
Weight Watchers-Agenda 85 -Anglais, Weight
  Watchers

DIVERS

* Acheter ou vendre sa maison, Brisebois Lucille
* Acheter et vendre sa maison ou son condominium,
  Brisebois Lucille
* Acheter une franchise, Levasseur Pierre
* Assemblés délibérantes, Les, Girard Françine,
* Bourse, La, Brown Mark
* Chaînes stéréophoniques, Les, Poirier Gilles
* Choix de carrières, T.1, Milot Guy
* Choix de carrières, T.2, Milot Guy
* Choix de carrières, T.3, Milot Guy
* Comment rédiger son curriculum vitae, Brazeau
  Julie
* Comprendre le marketing, Levasseur Pierre
Conseils aux inventeurs, Robic Raymond
* Devenir exportateur, Levasseur Pierre
* Dictionnaire économique et financier, Lafond
  Eugène
Étiquette des affaires, L', Jankovic Elena
* Faire son testament soi-même, Me Poirier Gérald,
  Lescault Nadeau Martine (notaire)
* Faites fructifier votre argent, Zimmer Henri B.
Finances, Les, Hutzler Laurie H.
* Gérer ses ressources humaines, Levasseur Pierre
* Gestionnaire, Le, Colwell Marian
* Guide de la haute-fidélité, Le, Prin Michel
* Je cherche un emploi, Brazeau Julie
* Lancer son entreprise, Levasseur Pierre

Leadership, Le, Cribbin, James J.
Livre de l'étiquette, Le, Du Coffre Marguerite
* Loi et vos droits, La, Marchand Me Paul-Émile
Meeting, Le, Holland Gary
Mémo, Le, Reimold Cheryl
Notre mariage (étiquette et planification), Du
  Coffre Marguerite
Patron, Le, Reimold Cheryl
Relations publiques, Les, Doin Richard, Lamarre
  Daniel
* Règles d'or de la vente, Les, Kahn George N.
* Roulez sans vous faire rouler, T.3, Edmonston
  Philippe
Savoir vivre aujourd'hui, Fortin Jacques Marcelle
Séjour dans les auberges du Québec, Cazelais
  Normand et Coulon Jacques
Stratégies de placements, Nadeau Nicole
Temps des fêtes au Québec, Le, Montpetit Raymond
Tenir maison, Gaudet-Smet Françoise
* Tout ce que vous devez savoir sur le condominium,
  Dubois Robert
Univers de l'astronomie, L', Tocquet Robert
Vente, La, Hopkins Tom
* Votre argent, Dubois Robert
Votre système vidéo, Boisvert Michel et Lafrance
  André A.
* Week-end à New York, Tavernier-Cartier Lise

3

ENFANCE

ÉSOTÉRISME

HISTOIRE

INFORMATIQUE

JARDINAGE

Culture des fleurs, des fruits, Prentice-Hall du Canada
Encyclopédie du jardinier, Perron W.H.
Guide complet du jardinage, Wilson Charles
* J'aime les rosiers, Pronovost René
J'aime les violettes africaines, Davidson Robert

Petite ferme, T. 2 - Jardin potager, Trait Jean-Claude
Plantes d'intérieur, Les, Pouliot Paul
Techniques du jardinage, Les, Pouliot Paul
* Terrariums, Les, Kayatta Ken

JEUX/DIVERTISSEMENTS

Améliorons notre bridge, Durand Charles
* Bridge, Le, Beaulieu Viviane
Clés du scrabble, Les, Sigal Pierre A.
Collectionner les timbres, Taschereau Yves
* Dictionnaire des mots croisés, noms communs, Lasnier Paul
* Dictionnaire des mots croisés, noms propres, Piquette Robert
* Dictionnaire raisonné des mots croisés, Charron Jacqueline

Finales aux échecs, Les, Santoy Claude
Jeux de société, Stanké Louis
* Jouons ensemble, Provost Pierre
Livre des patiences, Le, Bezanovska M. et Kitchevats P.
* Ouverture aux échecs, Coudari Camille
Scrabble, Le, Gallez Daniel
Techniques du billard, Morin Pierre

LINGUISTIQUE

* Anglais par la méthode choc, L', Morgan Jean-Louis
* J'apprends l'anglais, Silicani Gino

Petit dictionnaire du joual, Turenne Auguste
Secrétaire bilingue, La, Lebel Wilfrid

LIVRES PRATIQUES

Bonnes idées de maman Lapointe, Les, Lapointe Lucette
Chasse-taches, Le, Cassimatis Jack
* Maîtriser son doigté sur un clavier, Lemire Jean-Paul

* Mon automobile, Collège Marie-Victorin, Gouv. du Québec
* Se protéger contre le vol, Kabundi Marcel et Normandeau André
Temps c'est de l'argent, Le, Davenport Rita

MUSIQUE ET CINÉMA

* Guitare, La, Collins Peter
Piano sans professeur, Le, Evans Roger

Wolfgang Amadeus Mozart raconté en 50 chefs-d'oeuvre, Roussel Paul

NOTRE TRADITION

Coffret notre tradition Écoles de rang au Québec, Les, Dorion Jacques
Encyclopédie du Québec, T.1, Landry Louis
Encyclopédie du Québec, T.2, Landry Louis
* Généalogie, La, Faribeault- Beauregard M., Beauregard Malak E.
Histoire de la chanson québécoise, L'Herbier Benoît
Maison traditionnelle, La, Lessard Micheline

Moulins à eau de la vallée du Saint-Laurent, Adam Villeneuve
Objets familiers de nos ancêtres, Genet Nicole
* Sculpture ancienne au Québec, La, Porter John R. et Bélisle Jean
Vive la compagnie, Daigneault Pierre

PHOTOGRAPHIE (ÉQUIPEMENT ET TECHNIQUE)

* Apprenez la photographie avec Antoine Desilets, Desilets Antoine
Chasse photographique, Coiteux Louis
8/Super 8/16, Lafrance André
Initiation à la Photographie, London Barbara
Initiation à la Photographie-Canon, London Barbara
Initiation à la Photographie-Minolta, London Barbara

Initiation à la Photographie-Nikon, London Barbara
Initiation à la Photographie-Olympus, London Barbara
Initiation à la Photographie-Pentax, London Barbara
* Je développe mes photos, Desilets Antoine
* Je prends des photos, Desilets Antoine
* Photo à la portée de tous, Desilets Antoine
Photo guide, Desilets Antoine

PSYCHOLOGIE

Âge démasqué, L', De Ravinel Hubert
* Aider mon patron à m'aider, Houde Eugène
* Amour de l'exigence à la préférence, Auger Lucien
Au-delà de l'intelligence humaine, Pouliot Élise
Auto-développement, L', Garneau Jean
Bonheur au travail, Le, Houde Eugène
Bonheur possible, Le, Blondin Robert
Chimie de l'amour, La, Liebowitz Michael
Coeur à l'ouvrage, Le, Lefebvre Gérald
Coffret psychologie moderne Colère, La, Tavris Carol
* Comment animer un groupe, Office Catéchèsse
* Comment avoir des enfants heureux, Azerrad Jacob
* Comment déborder d'énergie, Simard Jean-Paul
Comment vaincre la gêne, Catta Rene-Salvator
* Communication dans le couple, La, Granger Luc
* Communication et épanouissement personnel, Auger Lucien
Comprendre la névrose et aider les névrosés, Ellis Albert
* Contact, Zunin Nathalie
* Courage de vivre, Le, Kiev Docteur A.
Courage et discipline au travail, Houde Eugène
Dynamique des groupes, Aubry J.-M. et Saint-Arnaud Y.
Élever des enfants sans perdre la boule, Auger Lucien
* Émotivité et efficacité au travail, Houde Eugène
Enfant paraît... et le couple demeure, L', Dorman Marsha et Klein Diane
Enfants de l'autre, Les, Paris Erna
* Être soi-même, Corkille Briggs D.
* Facteur chance, Le, Gunther Max
* Fantasmes créateurs, Les, Singer Jérôme
Infidélité, L', Leigh Wendy
Intuition, L', Goldberg Philip
* J'aime, Saint-Arnaud Yves
Journal intime intensif, Progoff Ira
Miracle de l'amour, Un, Kaufman Barry Neil
* Mise en forme psychologique, Corrière Richard

* Parle-moi... J'ai des choses à te dire, Salome Jacques
Penser heureux, Auger Lucien
* Personne humaine, La, Saint-Arnaud Yves
* Plaisirs du stress, Les, Hanson Dr Peter G.
* Première impression, La, Kleinke Chris, L.
Prévenir et surmonter la déprime, Auger Lucien
* Prévoir les belles années de la retraite, D. Gordon Michael
* Psychologie dans la vie quotidienne, Blank Dr Léonard
* Psychologie de l'amour romantique, Braden Docteur N.
* Qui es-tu grand-mère? Et toi grand-père? Eylat Odette
* S'affirmer et communiquer, Beaudry Madeleine
* S'aider soi-même, Auger Lucien
* S'aider soi-même d'avantage, Auger Lucien
* S'aimer pour la vie, Wanderer Dr Zev
* Savoir organiser, savoir décider, Lefebvre Gérald
* Savoir relaxer et combattre le stress, Jacobson Dr Edmund
* Se changer, Mahoney Michael
* Se comprendre soi-même par des tests, Collectif
* Se concentrer pour être heureux, Simard Jean-Paul
Se connaître soi-même, Artaud Gérard
* Se contrôler par le biofeedback, Ligonde Paultre
* Se créer par la Gestalt, Zinker Joseph
* S'entraider, Limoges Jacques
* Se guérir de la sottise, Auger Lucien
Séparation du couple, La, Weiss Robert S.
Sexualité au bureau, La, Horn Patrice
Syndrome prémenstruel, Le, Shreeve Dr Caroline
* Vaincre ses peurs, Auger Lucien
Vivre à deux: plaisir ou cauchemar, Duval Jean-Marie
* Vivre avec sa tête ou avec son coeur, Auger Lucien
Vivre c'est vendre, Chaput Jean-Marc
* Vivre jeune, Waldo Myra
* Vouloir c'est pouvoir, Hull Raymond

6

ROMANS/ESSAIS

Adieu Québec, Bruneau André
Baie d'Hudson, La, Newman Peter C.
Bien-pensants, Les, Berton Pierre
Bousille et les justes, Gélinas Gratien
    Coffret Joey
C.P., Susan Goldenberg
Commettants de Caridad, Les, Thériault Yves
Deux Innocents en Chine Rouge, Hébert Jacques
* **Dieu ne joue pas aux dés,** Laborit Henri
Dome, Jim Lyon
* **Frères divorcés, Les,** Godin Pierre
IBM, Sobel Robert
Insolences du Frère Untel, Les, Untel Frère
ITT, Sobel Robert
J'parle tout seul, Coderre Emile

Lamia, Thyraud de Vosjoli P.L.
Mensonge amoureux, Le, Blondin Robert
Nadia, Aubin Benoît
Oui, Lévesque René
Premiers sur la lune, Armstrong Neil
* **Rick Hansen, Vivre sans frontières,** Hansen Rick,
    Taylor Jim
* **Sur les ailes du temps (Air Canada),** Smith Philip
Telle est ma position, Mulroney Brian
Terrosisme québécois, Le, Morf Gustave
* **Trois semaines dans le hall du Sénat,** Hébert
    Jacques
Un doux équilibe, King Annabelle
* **Un second souffle,** Hébert Diane
Vrai visage de Duplessis, Le, Laporte Pierre

SANTÉ ET ESTHÉTIQUE

* **Ablation de la vésicule biliaire, L',** Paquet Jean-
    Claude
* **Ablation des calculs urinaires, L',** Paquet Jean-
    Claude
* **Ablation du sein, L',** Paquet Jean-Claude
Allergies, Les, Delorme Dr Pierre
Art de se maquiller, L', Moizé Alain
* **Bien vivre sa ménopause,** Gendron Dr Lionel
Cellulite, La, Ostiguy Dr Jean-Paul
Cellulite, La, Léonard Dr Gérard J.
* **Chirurgie vasculaire,** Paquet Jean-Claude
* **Dialyse et la greffe du rein, La,** Paquet Jean-Claude
Être belle pour la vie, Meredith Bronwen
Exercices pour les aînés, Godfrey Dr Charles,
    Feldman Michael
Face lifting par l'exercice, Le, Runge Senta Maria
Grandir en 100 exercises, Berthelet Pierre
Hystérectomie, L', Alix Suzanne
* **Malformations cardiaques congénitales, Les,**
    Paquet Jean-Claude
Médecine esthétique, La, Lanctot Guylaine
Obésité et cellulite, enfin la solution, Léonard Dr
    Gérard J.

Perdre son ventre en 30 jours H-F, Burstein Nancy et
    Matthews Roy
* **Pontage coronarien, Le,** Paquet Jean-Claude
Santé, un capital à préserver, Peeters E.G.
Travailler devant un écran, Feeley Dr Helen
    Coffret 30 jours
30 jours pour avoir de beaux cheveux, Davis Julie
30 jours pour avoir de beaux ongles, Bozic Patricia
30 jours pour avoir de beaux seins, Larkin Régina
30 jours pour avoir un beau teint, Zizmor Dr
    Jonathan
30 jours pour cesser de fumer, Holland Gary et
    Weiss Herman
30 jours pour mieux organiser, Holland Gary
**30 jours pour perdre son ventre (homme et
    femme),** Matthews Roy, Burnstein Nancy
30 jours pour redevenir un couple amoureux, Nida
    Patricia K. et Cooney Kevin
**30 jours pour un plus grand épanouissement
    sexuel,** Schneider Alan et Laiken Deidre
Vos dents, Kandelman Dr Daniel
* **Vos yeux,** Chartrand Marie et Lepage-Durand
    Micheline

SEXOLOGIE

Adolescente veut savoir, L', Gendron Lionel
Contacts sexuels sans risques, Prévenir le SIDA,
    IASHS
Fais voir, Fleischhaner H.
Guide illustré du plaisir sexuel, Corey Dr Robert E.
    Helg, Bender Erich F.
* **Ma sexualité de 0 à 6 ans,** Robert Jocelyne
* **Ma sexualité de 6 à 9 ans,** Robert Jocelyne

* **Ma sexualité de 9 à 12 ans,** Robert Jocelyne
Nous, on en parle, Lamarche M., Danheux P.
Plaisir partagé, Le, Gary-Bishop Hélène
* **Première expérience sexuelle, La,** Gendron Lionel
* **Sexe au féminin, Le,** Kerr Carmen
* **Sexualité du jeune adolescent,** Gendron Lionel
* **Sexualité dynamique, La,** Lefort Dr Paul
* **Shiatsu et sensualité,** Rioux Yuki

7

SPORTS

100 trucs de billard, Morin Pierre
Le programme pour être en forme
Apprenez à patiner, Marcotte Gaston
Arc et la chasse, L', Guardon Greg
* Armes de chasse, Les, Petit Martinon Charles
* Badminton, Le, Corbeil Jean
* Canadiens de 1910 à nos jours, Les, Turowetz Allan et Goyens Chrystian
* Carte et boussole, Kjellstrom Bjorn
* Chasse au petit gibier, La, Paquet Yvon-Louis
Chasse et gibier du Québec, Bergeron Raymond
Chasseurs sachez chasse, Lapierre Lucie
* Comment se sortir du trou au golf, Brien Luc
* Comment vivre dans la nature, Rivière Bill
* Corrigez vos défauts au golf, Bergeron Yves
Curling, Le, Lukowich E.
Devenir gardien de but au hockey, Allair François
Encyclopédie de la chasse au Québec, Leiffet Bernard
Entraînement, poids-haltères, L', Ryan Frank
Exercices à deux, Gregor Carol
Golf au féminin, Le, Bergeron Yves
Grand livre des sports, Le, Le groupe Diagram
Guide complet du judo, Arpin Louis
* Guide complet du self-defense, Arpin Louis
Guide d'achat de l'équipement de tennis, Chevalier Richard et Gilbert Yvon
Guide de l'alpinisme, Le, Cappon Massimo
Guide de survie de l'armée américaine
Guide des jeux scouts, Association des scouts
Guide du judo au sol, Arpin Louis
Guide du self-defense, Arpin Louis
Guide du trappeur, Le, Provencher Paul
Hatha yoga, Piuze Suzanne
Initiation à la planche à voile, Wulff D., Morch K.
* J'apprends à nager, Lacoursière Réjean
* Jogging, Le, Chevalier Richard
Jouez gagnant au golf, Brien Luc
Larry Robinson, le jeu défensif, Robinson Larry
Lutte olympique, La, Sauvé Marcel
* Manuel de pilotage, Transport Canada

* Marathon pour tous, Anctil Pierre
Maxi-performance, Garfield Charles A. et Bennett Hal Zina
* Médecine sportive, Mirkin Dr Gabe
Mon coup de patin, Wild John
Musculation pour tous, Laferrière Serge
Natation de compétition, La, Lacoursière Réjean
Partons en camping, Satterfield Archie et Bauer Eddie
Partons sac au dos, Satterfield Archie et Bauer Eddie
Passes au hockey, Champleau Claude
Pêche à la mouche, La, Marleau Serge
Pêche à la mouche, Vincent Serge-J.
Pêche au Québec, La, Chamberland Michel
* Planche à voile, La, Maillefer Gérald
* Programme XBX, Aviation Royale du Canada
Provencher, le dernier coureur des bois, Provencher Paul
Racquetball, Corbeil Jean
Racquetball plus, Corbeil Jean
Raquette, La, Osgoode William
* Rivières et lacs canotables, Fédération québécoise du canot-camping
* S'améliorer au tennis, Chevalier Richard
Secrets du baseball, Les, Raymond Claude
Ski de fond, Le, Roy Benoît
* Ski de randonnée, Le, Corbeil Jean
Soccer, Le, Schwartz Georges
Stratégie au hockey, Meagher John W.
Surhommes du sport, Les, Desjardins Maurice
* Taxidermie, La, Labrie Jean
Techniques du golf, Morin Pierre
* Technique du golf, Brien Luc
Techniques du hockey en URSS, Dyotte Guy
* Techniques du tennis, Ellwanger
* Tennis, Le, Roch Denis
Tous les secrets de la chasse, Chamberland Michel
Vivre en forêt, Provencher Paul
Voie du guerrier, La, Di Villadorata
Volley-ball, Le, Fédération de volley-ball
Yoga des sphères, Le, Leclerq Bruno

le jour, éditeur

ANIMAUX

Guide du chat et de son maître, Laliberté Robert
Guide du chien et de son maître, Laliberté Robert

Poissons de nos eaux, Melançon Claude

ART CULINAIRE ET DIÉTÉTIQUE

Armoire aux herbes, L', Mary Jean
Breuvages pour diabétiques, Binet Suzanne
Cuisine du jour, La, Pauly Robert
Cuisine sans cholestérol, Boudreau-Pagé
Desserts pour diabétiques, Binet Suzanne
Jus de santé, Les, Brunet Jean-Marc
Mangez ce qui vous chante, Pearson Dr Leo

Mangez, réfléchissez et devenez svelte, Kothkin Leonid
Nutrition de l'athlète, Brunet Jean-Marc
Recettes Soeur Berthe - été, Sansregret soeur Berthe
Recettes Soeur Berthe - printemps, Sansregret soeur Berthe

ARTISANAT/ARTS MÉNAGERS

Diagrammes de courtepointes, Faucher Lucille
Douze cents nouveaux trucs, Grisé-Allard Jeanne
Encore des trucs, Grisé-Allard Jeanne

Mille trucs madame, Grisé-Allard Jeanne
Toujours des trucs, Grisé-Allard Jeanne

DIVERS

Administrateur de la prise de décision, Filiatreault P. et Perreault Y.G.
Administration, développement, Laflamme Marcel
Assemblées délibérantes, Béland Claude
Assoiffés du crédit, Les, Féd. des A.C.E.F.
Baie James, La, Bourassa Robert
Bien s'assurer, Boudreault Carole
Cent ans d'injustice, Hertel François
Ces mains qui vous racontent, Boucher André-Pierre
550 métiers et professions, Charneux Helmy
Coopératives d'habitation, Les, Leduc Murielle
Dangers de l'énergie nucléaire, Les, Brunet Jean-Marc
Dis papa c'est encore loin, Corpatnauy Francis
Dossier pollution, Chaput Marcel

Énergie aujourd'hui et demain, De Martigny François
Entreprise et le marketing, L', Brousseau
Forts de l'Outaouais, Les, Dunn Guillaume
Grève de l'amiante, La, Trudeau Pierre
Hiérarchie ethnique dans la grande entreprise, Rainville Jean
Impossible Québec, Brillant Jacques
Initiation au coopératisme, Béland Claude
Julius Caesar, Roux Jean-Louis
Lapokalipso, Duguay Raoul
Lune de trop, Une, Gagnon Alphonse
Manifeste de l'Infonie, Duguay Raoul
Mouvement coopératif québécois, Deschêne Gaston
Obscénité et liberté, Hébert Jacques

Philosophie du pouvoir, Blais Martin
Pourquoi le bill 60, Gérin-Lajoie P.
Stratégie et organisation, Desforges Jean et
Vianney C.

Trois jours en prison, Hébert Jacques
Vers un monde coopératif, Davidovic Georges
Vivre sur la terre, St-Pierre Hélène
Voyage à Terre-Neuve, De Gébineau comte

ENFANCE

Aidez votre enfant à choisir, Simon Dr Sydney B.
Deux caresses par jour, Minden Harold
Être mère, Bombeck Erma
Parents efficaces, Gordon Thomas

Parents gagnants, Nicholson Luree
Psychologie de l'adolescent, Pérusse-Cholette
Françoise
1500 prénoms et significations, Grisé Allard J.

ÉSOTÉRISME

* Astrologie et la sexualité, L', Justason Barbara
Astrologie et vous, L', Boucher André-Pierre
* Astrologie pratique, L', Reinicke Wolfgang
Faire se carte du ciel, Filbey John
Grand livre de la cartomancie, Le, Von Lentner G.
* Grand livre des horoscopes chinois, Le, Lau
Theodora
Graphologie, La, Cobbert Anne
* Horoscope et énergie psychique, Hamaker-Zondag

Horoscope chinois, Del Sol Paula
Lu dans les cartes, Jones Marthy
* Pendule et baguette, Kirchner Georg
* Pratique du tarot, La, Thierens E.
Preuves de l'astrologie, Comiré André
Qui êtes-vous? L'astrologie répond, Tiphaine
Synastrie, La, Thornton Penny Traité d'astrologie,
Hirsig Huguette
Votre destin par les cartes, Dee Nerys

HISTOIRE

Administration en Nouvelle-France, L', Lanctot
Gustave
Histoire de Rougemont, Bédard Suzanne
Lutte pour l'information, La, Godin Pierre
Mémoires politiques, Chaloult René
Rébellion de 1837, Saint-Eustache, Globensky
Maximillien

Relations des Jésuites T.2
Relations des Jésuites T.3
Relations des Jésuites T.4
Relations des Jésuites T.5

JEUX/DIVERTISSEMENTS

Backgammon, Lesage Denis

LINGUISTIQUE

Des mots et des phrases, T. 1, Dagenais Gérard
Des mots et des phrases, T. 2, Dagenais Gérard

Joual de Troie, Marcel Jean

NOTRE TRADITION

Ah mes aïeux, Hébert Jacques

Lettre à un Français qui veut émigrer au Québec,
Dubuc Carl

OUVRAGES DE RÉFÉRENCES

Petit répertoire des excuses, Le, Charbonneau
Christine et Caron Nelson

Règles d'or de la vente, Les, Kahn George N.

PSYCHOLOGIE

* **Adieu**, Halpern Dr Howard
  Adieu Tarzan, Frank Helen
* **Agressivité créatrice**, Bach Dr George
  Aimer, c'est choisir d'être heureux, Kaufman Barry
  Neil
* **Aimer son prochain comme soi-même**, Murphy
  Joseph
* **Anti-stress, L'**, Eylat Odette
  Arrête! tu m'exaspères, Bach Dr George
  **Art d'engager la conversation et de se faire des
  amis, L'**, Grabor Don
* **Art de convaincre, L'**, Ryborz Heinz
* **Art d'être égoïste, L'**, Kirschner Joseph
* **Au centre de soi**, Gendlin Dr Eugène
* **Auto-hypnose, L'**, Le Cron M. Leslie
  Autre femme, L', Sevigny Hélène
  Bains Flottants, Les, Hutchison Michael
* **Bien dans sa peau grâce à la technique Alexander**,
  Stransky Judith
  Ces hommes qui ne communiquent pas, Naifeh S. et
  White S.G.
  Ces vérités vont changer votre vie, Murphy Joseph
  Chemin infaillible du succès, Le, Stone W. Clément
  Clefs de la confiance, Les, Gibb Dr Jack
  Comment aimer vivre seul, Shanon Lynn
* **Comment devenir des parents doués**, Lewis David
* **Comment dominer et influencer les autres**,
  Gabriel H.W.
  Comment s'arrêter de fumer, McFarland J. Wayne
* **Comment vaincre la timidité en amour**, Weber Éric
  Contacts en or avec votre clientèle, Sapin Gold
  Carol
* **Contrôle de soi par la relaxation**, Marcotte Claude
* **Couple homosexuel, Le**, McWhirter David P. et
  Mattison Andres M.
* **Devenir autonome**, St-Armand Yves
* **Dire oui à l'amour**, Buscaglia Léo
* **Ennemis intimes**, Bach Dr George
  États d'esprit, Glasser Dr William **Être efficace**,
  Hanot Marc
  Être homme, Goldberg Dr Herb
  Famille moderne et son avenir, La, Richar Lyn
  Gagner le match, Gallwey Timothy
  Gestalt, La, Polster Erving
  Guide du succès, Le, Hopkins Tom
  Harmonie, une poursuite du succès, L', Vincent
  Raymond
* **Homme au dessert, Un**, Friedman Sonya
  Homme en devenir, L', Houston Jean
* **Homme nouveau, L'**, Bodymind, Dychtwald Ken
  Influence de la couleur, L', Wood Betty
* **Jouer le tout pour le tout**, Frederick Carl

Maigrir sans obsession, Orback Suisie
Maîtriser la douleur, Bogin Meg
Maîtriser son destin, Kirschner Joseph
Manifester son affection, Bach Dr George
* **Mémoire, La**, Loftus Elizabeth
* **Mémoire à tout âge, La**, Dereskey Ladislaus
* **Mère et fille**, Horwick Kathleen
* **Miracle de votre esprit**, Murphy Joseph
* **Négocier entre vaincre et convaincre**, Warschaw Dr
  Tessa
  Nouvelles Relations entre hommes et femmes,
  Goldberg Herb
* **On n'a rien pour rien**, Vincent Raymond
* **Oracle de votre subconscient, L**, Murphy Joseph
  Parapsychologie, La, Ryzl Milan
* **Parlez pour qu'on vous écoute**, Brien Micheline
* **Partenaires**, Bach Dr George
* **Pensée constructive et bon sens**, Vincent Dr
  Raymond
  Personnalité, La, Buscaglia Léo
  Personne n'est parfait, Weisinger Dr H.
  Pourquoi ne pleures-tu pas?, Yahraes Herbert,
  McKnew Donald H. Jr., Cytryn Leon
  Pourquoi remettre à plus tard? Burka Jane B. et
  Yuen L. M.
  Pouvoir de votre cerveau, Le, Brown Barbara
  Prospérité, La, Roy Maurice
* **Psy-jeux**, Masters Robert
* **Puissance de votre subconscient, La**, Murphy Dr
  Joseph
  Reconquête de soi, La, Paupst Dr James C.
* **Réfléchissez et devenez riche**, Hill Napoléon
* **Réussir**, Hanot Marc
  Rythmes de votre corps, Les, Weston Lee
  S'aimer ou le défi des relations humaines,
  Buscaglia Léo
  Se vider dans la vie et au travail, Pines Ayala M.
* **Secrets de la communication**, Bandler Richard
  Sous le masque du succès, Harvey Joan C. et Datz
  Cynthia
* **Succès par la pensée constructive, Le**, Hill
  Napoléon
  Technostress, Brod Craig
* **Thérapies au féminin, Les**, Brunel Dominique
  Tout ce qu'il y a de mieux, Vincent Raymond
  Triomphez de vous-même et des autres, Murphy Dr
  Joseph
  Univers de mon subconscient, L', Dr Ray Vincent
  Vaincre la dépression par la volonté et l'action,
  Marcotte Claude
  Vers le succès, Kassoria Dr Irène C.
* **Vieillir en beauté**, Oberleder Muriel

11

Vivre avec les imperfections de l'autre, Janda Dr Louis H.
* Vivre c'est vendre, Chaput Jean-Marc

* Vivre heureux avec le strict nécessaire, Kirschner Josef
Votre perception extra sensorielle, Milan Dr Ryzl
Votre talon d'Achille, Bloomfield Dr. Harold

ROMANS/ESSAIS

À la mort de mes 20 ans, Gagnon P.O.
Affrontement, L', Lamoureux Henri
Bois brûlé, Roux Jean-Louis
100 000e exemplaire, Le, Dufresne Jacques
* Ça s'est passé à Montréal, Steinberg Donna
C't'a ton tour Laura Cadieux, Tremblay Michel
Cité dans l'oeuf, La, Tremblay Michel
Coeur de la baleine bleue, Le, Poulin Jacques
Coffret petit jour, Martucci Abbé Jean
Colin-Maillard, Hémon Louis
Contes pour buveurs attardés, Tremblay Michel
Contes érotiques indiens, Schwart Herbert
Crise d'octobre, Pelletier Gérard
Cyrille Vaillancourt, Lamarche Jacques
Desjardins Al., Homme au service, Lamarche Jacques
De Z à A, Losique Serge
Deux Millième étage, Le, CarrierRoch
D'Iberville, Pellerin Jean
Dragon d'eau, Le, Holland R.F.
Équilibre instable, L', Deniset Louis
Éternellement vôtre, Péloquin Claude
Femme d'aujourd'hui, La, Landsberg Michele
Femme de demain, Keeton Kathy
Femmes et politique, Cohen Yolande
Filles de joie et filles du roi, Lanctot Gustave
Floralie où es-tu, Carrier Roch

Fou, Le, Châtillon Pierre
Français langue du Québec, Le, Laurin Camille
Hommes forts du Québec, Weider Ben
Il oct par là lo ooloil, Carrier Roch
J'ai le goût de vivre, Delisle Isabelle
J'avais oublié que l'amour, Doré-Joyal Yves
Jean-Paul ou les hasards de la vie, Bellier Marcel
Johnny Bungalow, Villeneuve Paul
Jolis Deuils, Carrier Roch
Lettres d'amour, Champagne Maurice
Louis Riel patriote, Bowsfield Hartwell
Louis Riel un homme à pendre, Osier E.B.
Ma chienne de vie, Labrosse Jean-Guy
Marche du bonheur, La, Gilbert Normand
Mémoires d'un Esquimau, Metayer Maurice
Mon cheval pour un royaume, Poulin J.
Neige et le feu, La, Baillargeon Pierre
N'Tsuk, Thériault Yves
* Objectif camouflé, Porter Anna
Opération Orchidée, Villon Christiane
Orphelin esclave de notre monde, Labrosse Jean
Oslovik fait la bombe, Oslovik
Parlez-moi d'humour, Hudon Normand
Scandale est nécessaire, Le, Baillargeon Pierre
* Thrax, Guay Michel
Train de Maxwell, Le, Hyde Christopher
Vivre en amour, Delisle Lapierre

SANTÉ

Alcool et la nutrition, L', Brunet Jean-Marc
Bruit et la santé, Le, Brunet Jean-Marc
Chaleur peut vous guérir, La, Brunet Jean-Marc
Échec au vieillissement prématuré, Blais J.
Greffe des cheveux vivants, Guy Dr
Guérir votre foie, Jean-Marc Brunet
Information santé, Brunet Jean-Marc
Magie en médecine, Sylva Raymond
Maigrir naturellement, Lauzon Jean-Luc
Mort lente par le sucre, Duruisseau Jean-Paul

40 ans, âge d'or, Taylor Eric
Recettes naturistes pour arthritiques et rhumatisants, Cuillerier Luc
Santé de l'arthritique et du rhumatisant, Labelle Yvan
* Tao de longue vie, Le, Soo Chee
Vaincre l'insomnie, Filion Michel,Boisvert Jean-Marie, Melanson Danielle
Vos aliments sont empoisonnés, Leduc Paul

12

SEXOLOGIE

* **Aimer les hommes pour toutes sortes de bonnes raisons,** Nir Dr Yehuda
* **Apprentissage sexuel au féminin, L',** Kassoria Irene
* **Comment faire l'amour à la même personne pour le reste de votre vie,** O'Connor Dagmar
* **Comment faire l'amour à un homme,** Penney Alexandra
* **Comment faire l'amour ensemble,** Penney Alexandra
  Dépression nerveuse et le corps, La, Lowen Dr Alexander
  Drogues, Les, Boutot Bruno

* **Femme célibataire et la sexualité, La,** Robert M.
* **Jeux de nuit,** Bruchez Chantal
  Magie du sexe, La, Penney Alexandra
* **Massage en profondeur, Le,** Bélair Michel
  Massage pour tous, Le, Morand Gilles
  Première fois, La, L'Heureux Christine
  Rapport sur l'amour et la sexualité, Brecher Edward
  Sexualité expliquée aux adolescents, La, Boudreau Yves
  Sexualité expliquée aux enfants, La, Cholette Pérusse F.

SPORTS

Baseball-Montréal, Leblanc Bertrand
Chasse au Québec, Deyglun Serge
Chasse et gibier du Québec, Guardon Greg
Exercice physique pour tous, Bohemier Guy
Grande forme, Baer Brigitte
Guide des pistes cyclables, Guy Côté
Guide des rivières du Québec, Fédération canot-kayac
Lecture des cartes, Godin Serge
Offensive rouge, L', Boulonne Gérard

Pêche et coopération au Québec, Larocque Paul
Pêche sportive au Québec, Deyglun Serge
Raquette, La, Lortie Gérard
Santé par le yoga, Piuze Suzanne
Saumon, Le, Dubé Jean-Paul
Ski nordique de randonnée, Brady Michael
Technique canadienne de ski, O'Connor Lorne
Truite et la pêche à la mouche, La, Ruel Jeannot
Voile, un jeu d'enfants, La, Brunet Mario

ROMANS/ESSAIS/THÉÂTRE

Andersen Marguerite,
De mémoire de femme
AquinHubert,
Blocs erratiques
Archambault Gilles,
La fleur aux dents
Les pins parasols
Plaisirs de la mélancolie
Atwood Margaret,
Les danseuses et autres nouvelles
La femme comestible
Marquée au corps
Audet Noël,
Ah, L'amour l'amour

Baillie Robert,
La couvade
Des filles de beauté
Barcelo François,
Agénor, Agénor, Agénor et Agénor
Beaudin Beaupré Aline,
L'aventure de Blanche Morti
Beaudry Marguerite,
Tout un été l'hiver
Beaulieu Germaine,
Sortie d'elle(s) mutante

13

14

Marcotte Gilles,
  La littérature et le reste
Marteau Robert,
  Entre temps
Martel Émile,
  Les gants jetés
Martel Pierre,
  Y'a pas de métro à Gélude-La-Roche
Monette Madeleine,
  Le double suspect
  Petites violences
Monfils Nadine,
  Laura Colombe, contes
  La velue
Ouellette Fernand,
  La mort vive
  Tu regardais intensément Geneviève
Paquin Carole,
  Une esclave bien payée
Paré Paul,
  L'improbable autopsie
Pavel Thomas,
  Le miroir persan
Pollak Véra,
  Rose-Rouge
Poupart Jean-Marie,
  Bourru mouillé
Robert Suzanne,
  Les trois soeurs de personneVulpera
Robertson Heat,
  Beauté tragique

Ross Rolande,
  Le long des paupières brunes
Roy Gabrielle,
  Fragiles lumières de la terre
Saint-Georges Gérard,
  1, place du Québec Paris VIe
Sansfaçon Jean-Robert,
  Loft Story
Saurel Pierre,
  IXE-13
Savoie Roger,
  Le philosophe chat
Svirsky Grigori,
  Tragédie polaire, nouvelles
Szucsany Désirée,
  La passe
Thériault Yves,
  Aaron
  Agaguk
  Le dompteur d'ours
  La fille laide
  Les vendeurs du temple
Turgeon Pierre,
  Faire sa mort comme faire l'amour
  La première personne
  Prochainement sur cet écran
  Un, deux, trois
Trudel Sylvain,
  Le souffle de l'Harmattan
Vigneault Réjean,
  Baby-boomers

COLLECTIF DE NOUVELLES

Aimer
Crever l'écran
Dix contes et nouvelles fantastiques
Dix nouvelles de science-fiction québécoise

Dix nouvelles humoristiques
Fuites et poursuites
L'aventure, la mésaventure

LIVRES DE POCHES 10/10

Aquin Hubert,
  Blocs erratiques
Brouillet Chrystine,
  Chère voisine
Dubé Marcel,
  Un simple soldat
Gélinas Gratien,
  Bousille et les justes
  Ti-Coq
Harvey Jean-Charles,
  Les demi-civilisés
Laberge Albert
  La scouine

Thériault Yves,
  Aaron
  Agaguk
  Cul-de-sac
  La fille laide
  Le dernier havre
  Le temps du carcajou
  Tayaout
Turgeon Pierre,
  Faires sa mort comme faire l'amour
  La première personne

NOTRE TRADITION

DIVERS

Achevé   Imprimerie
d'imprimer Gagné Ltée
au Canada Louiseville